HÉROES DE DÍAS ATRÁS

Fernando Schwartz

HÉROES DE DÍAS ATRÁS

ESPASA

ESPASA ℭ NARRATIVA

© Fernando Schwartz, 2016
Autor representado por Silvia Bastos, S.L. Agencia Literaria
© Espasa Libros S. L. U., 2016

Diseño de cubierta: Departamento de Arte y Diseño, Área Editorial Grupo Planeta
Imagen de cubierta: © Gaston Paris / Roger-Viollet

Preimpresión: M.T. Color & Diseño, S. L.

Depósito legal: B 4.704-2016
ISBN: 978-84-670-4728-8

Espasa, en su deseo de mejorar sus publicaciones, agradecerá
cualquier sugerencia que los lectores hagan al departamento
editorial por correo electrónico: sugerencias@espasa.es

www.espasa.com
www.planetadelibros.com

Impreso en España/Printed in Spain
Impresión: Unigraf, S. L.

Espasa Libros, S. L. U.
Avda. Diagonal, 662-664
08034 Barcelona

El papel utilizado para la impresión de este libro es cien por cien libre de cloro
y está calificado como **papel ecológico**

A los héroes de La Nueve
y a Evelyn Mesquida,
que mantuvo viva su memoria.

1

Marie Weisman pasó de pie las horas del atardecer en la place *Nationale*. Había llovido sin parar durante gran parte del día. Tenía la ropa empapada. Hacía mucho calor.

A ratos, ella era la única ocupante de aquel espacio desolado. Aunque esporádicamente le acompañaran algunas decenas de vecinos del arrabal, la plaza quedaba desierta cuando a lo lejos se oía que arreciaba la batalla en los barrios del centro. El terror hace esas cosas, pensaba Marie; están todos muertos de miedo. Deberían comprender que esto termina, que vamos a ganar, que nos vamos a tomar la revancha y que los días del miedo se han acabado. Bah, esta guerra no es de los ejércitos, se decía con su ímpetu tan suyo, sino de los que la hemos padecido.

Cuatro años de sufrimiento, sí. Pero, se dijo, hoy, 24 de agosto de 1944, los parisinos se han alzado en armas, son de nuevo los protagonistas de *La Marsellesa*, luchan calle a calle contra los soldados alemanes. ¡Hoy la Ciudad de la Luz ha dejado de ser alemana! Hoy es un campo de batalla. Mañana será nuevamente francesa.

Cuando Marie llegó a la plaza, un oficial alemán que la cruzaba escoltado por cuatro soldados, al verla sola, se dirigió a ella en un tono bastante más amable que el habitual:

—*Mademoiselle!* ¡Señorita! Un momento, por favor.

Marie se detuvo en seco mirando al frente. Luego empezó a girarse despacio. Durante aquellos años de guerra y ocupación alemana, cualquier francés sabía que, al ser interpelado por un militar alemán, era imperativo quedarse quieto, sobre todo no correr ni hacer gestos bruscos. Como si nadie en París tuviera razón de sentir miedo o se supiera culpable de odiar a los alemanes o de temerlos. ¿Qué pretendían, que además se los quisiera?

—*Mademoiselle!*

Terminó de darse la vuelta, esperando, como otras muchas veces, la mirada de desprecio o la sonrisa de cortesía almibarada, el gesto de superioridad de la barbilla, la mano sujetando los guantes con los que el oficial alemán se daba golpecitos en el muslo mientras su pequeño retén permanecía avizor. El reflejo instintivo en Marie fue, como siempre, de angustia. Había perdido la cuenta de las veces en que la habían interpelado desde la primera en la *gare* de Lyon en octubre del cuarenta. Le daba miedo y rabia sentirse vulnerable, pero, pese a ello, nunca había abdicado de la rebeldía, nunca se había puesto la estrella de David en la solapa de la chaqueta o en el bolsillo de la camisa, sabiendo que tal crimen le habría de costar la cárcel o la deportación, probablemente la muerte de una paliza o la violación. Además de terrorista, de resistente, de francesa de De Gaulle y probablemente comunista, ¡judía! Aunque en este negociado no eran únicamente temibles los alemanes: desde cuatro años antes la policía, las bandas de milicianos franceses, la portera de casa, las gentes de la calle se habían sumado con entusiasmo al placer de la delación y del acorralamiento. Eran peores que el ejército ocupante porque, para ellos, para los que soportaban con mansedumbre la derrota, para los colaboracionistas, los de la Francia Libre eran una partida de terroristas antipatriotas, ¿qué otra cosa iban a ser a sus ojos? Y, por añadidura, si eran judíos, llevaban el estigma universalmente despreciado en Europa, la mancha hebrea que los hacía acreedores a la hostilidad de la raza humana. Pero eso, pensaba Marie, se estaba acabando. Y lo van a pagar.

A unos metros de ella, junto a la pared de una de las casas de la plaza, el alemán la miraba con fijeza. Tenía la mano derecha apoyada en la funda de su pistola, la guerrera manchada de agua y las botas, sucias de barro. Era cierto que sobre París había caído aquella tarde el diluvio universal y que aún lloviznaba, pero Marie nunca había visto a un oficial alemán con las botas menos que perfectamente lustradas; vaya idiotez, pensó, mira que irme a fijar en semejante cosa.

—¿Me puede usted ayudar? —preguntó el alemán. Le pareció que estaba nervioso y que no dejaba de mirar a las ventanas.

—¿Sí? —contestó secamente sin moverse.

—*Place d'Italie?* ¿Dónde está la plaza de Italia?

—Hacia allá —contestó Marie—, más o menos a cuatrocientos metros.

—Bien. —Sonrió él de pronto y, como excusándose por su ignorancia, añadió—: No conozco este barrio. —Se encogió de hombros—. Métase en casa y no salga. Es peligroso.

Sin más, giró en redondo y, seguido de sus esbirros, se alejó apresuradamente en dirección a la plaza de Italia, uno de los ejes del cordón sanitario establecido por la Wehrmacht en torno a París. Allí, las defensas alemanas parecían inexpugnables, guarecidas detrás de un dispositivo de pasos estrechos en zigzag, barricadas y carros de combate desde los que asomaban cañones y ametralladoras dispuestos a acabar con todo.

Mirando al oficial alemán que se alejaba, Marie sonrió: un enemigo a la defensiva. Este alemán era una estampa palpable de la derrota, más que los americanos acudiendo al rescate de París esta noche, mañana, cuando fuera.

Porque llegarían, ¿no? La guerra había acostumbrado a Marie a nunca más pecar de optimismo. Las cosas pasaban cuando pasaban. Tal vez fuera hoy. Hacía días que los parisinos, casi sin atreverse a pensar que por fin se acababa la pesadilla, contemplaban el desfile de convoyes alemanes en marcha hacia el este llenos de enseres, armamento ligero y soldadesca. Había empezado la evacuación de París, pero, claro, no era para fiarse, por mucho que el semblante de los que se iban fuera muy diferente del de cuatro años antes, cuando desfilaban por los Campos Elíseos, victoriosos y serios.

Marie se preguntaba una y otra vez, ¿cómo iban los franceses a ser capaces de perdonarse la miseria, la cobardía de aquella guerra? Porque en todo ese tiempo que hoy acababa, había visto cómo se comportaban en París sus ciudadanos, verdaderos esquizofrénicos, unos llenando páginas de periódicos con comentarios frívolos y seudoculturales y otros imprimiendo pasquines subversivos; unos yendo en masa a teatros y cabarés y pasando indiferentes por delante de las enormes y alargadas banderas nazis que colgaban de los edificios y otros forzados a subirse a los trenes que los deportaban hacia Alemania y la muerte; unos visitando exposiciones de arte patrocinadas por los nazis, el mismo día en que los ocupantes ejecutaban a otros con cualquier excusa. La intelectualidad de izquierdas, Simone de Beauvoir y Sartre y Camus acudían a diario (desde muy temprano para aprovechar el calor de las estufas) al café de Flore o a Les Deux Magots a escribir y sentar cátedra. Cuando coincidían con los santones de la derecha en cualquier lugar o los veían entrar en los museos y los teatros de la mano de oficiales alemanes, los evitaban con afectación, ciudadanos de dos mundos separados. Mientras tanto, en París hacía frío, se pasaba hambre (menos Picasso y sus amigos que comían a diario en Le Catalan a mil francos por cubierto) y se perseguía, torturaba y fusilaba a los resistentes.

Se encogió de hombros. Dio dos pasos hacia un banco contra cuyo respaldo se apoyó. Miraba al sur, hacia el parque de Choisy, apenas intuido. Escudriñaba con tanta intensidad que sus ojos llegaban a engañarla y le parecía ver sombras como de gente corriendo de un lado para otro, o humaredas de explosiones y motores, amortiguados por la lejanía.

Solo de vez en cuando, a un centenar de metros de donde se encontraba, una distancia imposible de salvar sin gran riesgo, algún hombre sí cruzaba la plaza a la carrera casi doblado en dos, con un viejo mosquetón entre las manos. Se paraba en la esquina de un edificio y disparaba hacia las azoteas sin apuntar. Luego reanudaba la carrera zigzagueando para protegerse de francotiradores. Si caía herido por un disparo, los compañeros que lo seguían se desviaban para ayudarlo y lo arrastraban hasta ponerlo a cubierto. Ahí lo dejaban sin ocuparse más de él, como si por esconderlo, la herida dejara de ser grave y fuera a sanar. Tampoco es que hubiera tiempo para más. Sin embargo, algunos retrocedían unos pasos para disparar hacia donde suponían que se escondía el francotirador, ahora de pronto silencioso. Al otro lado de la plaza, unos cuantos mirones salían de las casas a contemplar la escena. Sin darse cuenta de que allí no corrían peligro, daban unos pasos indecisos con la intención aparente de acercarse al herido, que se quejaba a gritos o con gemidos o con estertores mientras iba desangrándose y entregando la vida. Pero solo se agachaban como con intención de salir corriendo y a los pocos segundos volvían a enderezarse y regresaban a sus portales.

Tampoco Marie podía acudir a socorrerlos. Se sentía tan inútil como los que titubeaban escondidos tras los muros de los edificios sin atreverse a correr.

Desde media tarde, a medida que se acercaba a la plaza, había visto gente esperando escondida en los portales o detrás de los visillos de sus ventanas. A veces se atrevían a asomarse a las aceras esperando ver las tropas amigas que llegaban a expulsar a la Wehrmacht. Pero un solo disparo los hacía huir hacia sus refugios y la calle se vaciaba. Luego, un remolino de optimismo o de curiosidad la volvía a animar y los huidos regresaban.

Desde temprano por la mañana había empezado a circular el rumor de que los americanos estaban por fin a las puertas de París y de que luchaban para vencer la resistencia alemana. Pero allí, lejos del centro de la capital, cuando remitían las explosiones y los bombazos, no les llegaba ruido alguno que proviniera del sur, de los arrabales por donde debían de empujar las tropas salvadoras. No se oía nada, apenas disparos aislados, que la costumbre hacía inaudibles.

Muchos estaban convencidos, no sin razón, de que el ejército alemán se reagrupaba para un asalto final. «Os juro —había exclamado uno— que *les boches* se preparan para la tierra quemada: ¡van a hacer saltar París por los aires!». Y es que, desmintiendo los rumores que aseguraban la derrota alemana, circuló como un reguero de pólvora la noticia de que quince chicos traicionados por un compañero habían sido ejecutados por las SS en el Bois de Boulogne la tarde antes. No parecía que cosas así hicieran patente la derrota de la Wehrmacht. Pero Marie sabía por experiencia que el enemigo vencido está lleno de rabia y miedo y eso lo hace más cruel. Mata a la defensiva, a la desesperada, con saña. Peor que nunca porque ya no hay motivo. Apenas un par de meses antes, las SS, en su galopada hacia el este, habían rodeado un pueblecito cercano a Limoges, Oradour, ametrallado a todos los varones y encerrado a mujeres y niños en la iglesia. Luego le habían prendido fuego. Murieron más de seiscientas personas. ¿La excusa? Represalia por un atentado de la Resistencia.

Al ejército alemán no le iba a dar tiempo a volar París. Aquella misma mañana, un soldado polaco, conduciendo temerariamente una moto desde Limours, había traído la noticia de la llegada inminente de las tropas aliadas. También un avión inglés de reconocimiento había lanzado unas octavillas cerca de Notre Dame dando la misma noticia: llegaba el ejército francés al mando del general Leclerc. Marie, que desde la madrugada estaba en el ayuntamiento ayudando en un puesto de socorro instalado en el primer piso, decidió acudir, desafiando el peligro, al encuentro de los asaltantes. Iría andando con cuidado de no atravesar zonas de combate y de no caminar por largos trechos de acera rectilínea o por las avenidas principales; y tuvo que cruzar a gachas el puente del Arzobispado hacia la Rive Gauche, corriendo protegida por la barandilla y por los resistentes que disparaban sin descanso para mantener abierto el paso por encima del Sena. Era, decidió, la satisfacción a que le daban derecho los años de miseria: ver llegar las columnas de franceses o de americanos o lo que fuesen y unirse a ellas.

Pensando en el comité de recepción alemán instalado en la place d'Italie, se dijo que el general Leclerc no entraría por ella. Querría evitarse enfrentamientos inútiles: de lo que se trataba era de llegar al centro sin que escaramuza alguna retrasara el avance de sus tropas. El polaco de la motocicleta había dicho que seguramente llegarían desviados por la plaza Nacional. ¿Y cómo lo harían con un mínimo sigilo? ¿Un cuerpo de ejército asaltante? ¿Tropas en número suficiente, miles de hombres, decenas de camiones y tanques?

Eran poco más de las ocho de la tarde del 24 de agosto de 1944. Marie pudo ver de pronto allá a lo lejos un *jeep* que avanzaba hacia ella con brío. Venía por delante de lo que parecía un camión blindado que a su vez precedía a otros apenas divisados por entre la nube negra de los tubos de escape.

«*Les boches!* —gritó alguien—. ¡Son los alemanes!». Y como por arte de magia, la plaza quedó nuevamente desierta. Los pocos entusiastas de un momento antes huyeron despavoridos corriendo en todas las direcciones para refugiarse en los portales y en las calles adyacentes.

Solo ella, en lugar de huir, dio unos cuantos pasos hacia delante y quedó plantada en medio de la calzada, esperando, segura de quien integraba la columna e indiferente al peligro de ser blanco abierto para cualquier francotirador apostado en cualquier buhardilla.

El *jeep* desembocó en la plaza y se detuvo con un chirrido de frenos a la altura de Marie. Desde una ventana cercana, un hombre chilló: «¡Son los americanos! ¡Son los americanos!». Pero enseguida se escondió y aquel primer comité de recepción quedó en nada.

Y entonces, desde las calles de las inmediaciones empezaron a asomar, primero, algunos valientes que saludaban con timidez y que de pronto rompían a gritar, a reír, a llorar puño en alto. Enseguida los fue siguiendo una marea irresistible de parisinos que por miles salían a oleadas para aclamar a los que llegaban a liberarlos. Tanto era el entusiasmo que llegaban a dificultar el avance del convoy militar. Algunos corrían al lado de los camiones gritando: «¡Los franceses, son los franceses!». Un espectáculo totalmente incongruente con la presencia de la Wehrmacht que, al parecer ajena a todo, defendía otra plaza apenas a unos centenares de metros.

«¡Los franceses, son los franceses!».

Se repetía así el desfile de entusiasmos que había invadido la carretera desde Chartres, desde Limours, desde Vitry, a escasos diez kilómetros de la puerta de Italia. En Limours aún habían tenido que enfrentarse a bolsas de resistencia alemana que cerraban el paso a la columna Leclerc, la legendaria división blindada del Chad. El general Leclerc, entonces, había mandado llamar a uno de sus capitanes y le había dicho: «¡A toda velocidad hacia París! ¡No se detenga por nada! ¡No quiero que los americanos tomen París antes que nosotros!». Y Dronne, que así se llamaba el capitán, reunió a sus hombres, unos ciento cincuenta, apenas dos secciones, y, con su *jeep*, doce camiones-oruga y tres tanques Sherman como magra fuerza de choque, emprendió a toda velocidad el camino que había de llevarlos al centro de París. Uno de los orugas quedó atrás con la cadena rota.

La marcha por las calles de la capital, aunque ralentizada por el entorno urbano, estaba siendo el mismo desfile triunfal que por los pueblos y ciudades que, a partir de Chartres, jalonaban el camino hasta París. Allí sí que había sido casi imposible avanzar con cierto ritmo: hasta la plaza Nacional la progresión había sido muy lenta. Unas leguas antes de París, las plazas, las calles, las carreteras se habían llenado de gentes de todas clases y edades, jóvenes, mujeres, niños, ancianos que casi no conseguían sostenerse sobre sus piernas, algunos con muletas para mantenerse en pie sobre la que les quedaba; en las solapas de sus raídas chaquetas o en sus viejos uniformes lucían las medallas ganadas casi treinta años atrás en la Gran Guerra. Reían y lloraban, se acercaban a palmear a los soldados, gritando no se sabía qué. Como un truco de ilusionismo, en cada esquina, en los balcones de los ayuntamientos, en las escalinatas de las iglesias en ruinas se habían materializado banderas, banderines y banderolas francesas que las gentes hacían ondear o agitaban con entusiasmo. «*Vive la France! —*gritaban—. *Vive De Gaulle!*». En Vitry, una chica joven desnudó sus pechos para ofrecérselos a la soldadesca que llegaba; su gesto fue acogido con una tormenta de silbidos y gritos de entusiasmo. Una mujer de mediana edad, flaca por años de privaciones, oliendo poderosamente a sudor, salió de una panadería con una gran hogaza entre las manos y se la dio al sargento que conducía el *jeep* de Dronne.

De los camiones que seguían al *jeep* del capitán entre la humareda negra de los tubos de escape y el ruido de los motores, podía oírse como aquellos soldados vestidos con el uniforme americano rompían a cantar con fuerza en español.

Ay, Carmela, ay, Carmela,
el ejército del Ebro,
rumba la rumba la rumba la,
una noche el río pasó,
rumba la rumba la rumba la,
una noche el río pasó
y a las tropas invasoras
buena paliza les dio,
ay, Carmela, ay, Carmela...

Y ahora, ya en París, el convoy permaneció detenido, con los motores al ralentí, cogiendo impulso para el asalto final. Repentinamente, del blindado, un camión semioruga que estaba justo detrás del *jeep*, por encima del estruendo de cánticos y motores, pudo oírse:

—¡Marie! ¿Marie Weisman?

Marie se volvió a mirar a quien la interpelaba, un joven vestido con el uniforme americano, que gesticulaba e intentaba bajarse de la semioruga. En la parte delantera de esta podía leerse una inscripción en letras mayúsculas pintadas de blanco: *Guadalajara*. Y en el que lo seguía,

Teruel. Y en el de detrás, *Brunete*. Y en otro más, *España cañí*...

—¿Domingo? —preguntó Marie tras un titubeo. ¡Domingo! Su viejo compañero de angustias en Vichy. Domingo, Dios mío. El loco temerario de tanto tiempo antes. Uno de sus héroes, uno de los héroes de días atrás. Uno cuya memoria, como la de tan pocos otros, la había mantenido en vida. Se le había desbocado el corazón. Levantó un brazo para agitar la mano.

Desde su asiento en el *jeep*, el capitán se volvió hacia el blindado que estaba detenido detrás de él. Hizo un gesto con la mano para que Domingo se bajara del camión y se acercara. No hizo falta mucho más: de un salto, el joven aterrizó en la calzada y con el mismo impulso apretó a Marie entre sus brazos y le dio cinco, seis, siete besos en las mejillas y en la frente, en las orejas y en el cuello y en la boca. La levantó entre sus brazos mientras sus compañeros aplaudían y silbaban.

—¡Ah! ¡Estabas en París! Y nosotros todo el tiempo angustiados por lo que te hubiera podido pasar...

—¡González!

—Mi capitán —dijo Domingo, dejándola en la acera.

—Venga aquí... Esta señorita...

—Ah, sí, capitán. Nos conocemos desde hace cuatro años, desde el principio de la guerra en Vichy.

—¿Sí?

—Era la más valiente de todos los que estábamos metidos en la primera célula de resistencia anti Pétain.

—Vaya. —Y dirigiéndose a ella—: ¿Conoce usted bien París?

—Claro —contestó Marie con sencillez—. Soy de aquí.

—Muy bien, sabemos cómo llegar hasta Notre Dame. —Sacó un gran mapa de la capital y lo extendió sobre sus rodillas—. Y conocemos la localización de los bloqueos de los alemanes, aquí, aquí y aquí. Pero no sabemos cuánto se han movido en las últimas horas. Si queremos llegar sin perder tiempo, tenemos que... ¿Cuánto tiempo lleva usted aquí?

—Bueno. Salí de Notre Dame más o menos a las once y vine andando. Llevo aquí unas cuatro horas.

—Tenemos que evitar escaramuzas inútiles... ¿Qué movimientos ha visto en este tiempo?

—Muy poca cosa. Los alemanes no se han movido. Pero, perdone, ¿son ustedes los que son?

Dronne sonrió.

—Sí, los que ve. ¡Vamos! No perdamos tiempo... Súbase a mi lado, si me hace el favor. No sé cómo estarán las cosas más adelante, pero si los jefes de la rebelión están atrincherados en el ayuntamiento y en la prefectura..., hay que llegar deprisa. —Marie asintió—. Pues ahí es adonde vamos. Iremos en zigzag por aquí y por aquí. ¡Granell! ¡Venga aquí! —Y de un *jeep* que estaba escondido entre dos camiones-oruga salió el teniente Granell, el héroe de todos con su aspecto de nunca haber roto un plato. El teniente se acercó corriendo al del capitán Dronne.

—Mi capitán —dijo.

—Un momento... Espere.

—Yo les guiaré —dijo entonces Marie— por las calles en las que no estaban los alemanes, al menos esta mañana. No eran muchos... hasta el puente de Austerlitz.

—Bien. Granell —ordenó el capitán—, tome una sección y vaya directamente hacia el ayuntamiento por las márgenes del Sena, a la espalda de los alemanes. Anuncie nuestra llegada: confirme a los jefes de la Resistencia atrincherados en el ayuntamiento frente a Notre Dame que una división al mando del general Leclerc se ha puesto en marcha a las siete de esta mañana en dirección al norte, directamente hacia la avenida de Italia.

—A sus órdenes.

Granell dio media vuelta y regresó corriendo hacia su sección, que se puso en marcha en menos de un minuto. Llegarían al ayuntamiento en no más de media hora, bastante antes que el grueso de la compañía del capitán Dronne. Este se volvió entonces hacia Marie:

—Bien, *mademoiselle*, vamos...

Ella se dio la vuelta para mirar a Domingo.

—Vamos... Ya tendrán tiempo de hablarse cuando lleguemos al ayuntamiento. ¡Vamos! ¡Vamos!

Marie obedeció pero, antes de encaramarse al *jeep*, miró de nuevo a Domingo y mudamente preguntó: «¿Y Manuel?».

Él hizo un gesto vago, impreciso, hacia el cielo, como de ignorancia, que la dejó llena de angustia. «¿Cuántas veces más lo he de perder? Dime de una vez —pensó, acusando al destino que no dejaba de perseguirla. Era así, ¿no?—. ¿Cuándo voy a poder pararme, cuántas veces más lloraré su pérdida?».

La pequeña columna, esta avanzadilla descarada de la que ya se había desgajado la sección del teniente Granell, se puso nuevamente en marcha, mientras Marie, intentando rehacerse, iba señalando el camino: «Por allí a la place Pinet y después por la calle Squirol, creo, hasta llegar, aquí, a la avenida del Hospital para luego bajar hasta el puente de Austerlitz». «Bien, andando».

Se movieron veloces hacia el ayuntamiento. Tardaron cuarenta minutos en llegar al frente de la catedral. Solo a la altura del río, delante del puente de Austerlitz, tuvieron que enfrentarse brevemente a las tropas alemanas; fue un encontronazo muy violento resuelto rápidamente. Los soldados de las dos primeras orugas, Domingo entre ellos, se bajaron a saltos para cubrir el frente de los muelles del Sena. Disparando sin tregua, avanzando casi a pecho descubierto con alaridos salvajes, dejaron el camino expedito en pocos minutos, empujando a las fuerzas de la Wehrmacht hacia el Louvre y el Quai d'Orsay. Luego volvieron a encaramarse a los blindados y la columna reemprendió la marcha. No había habido bajas; nadie había sido herido. «Mira —dijo Domingo riendo—, mejor que esta mañana: un paseo».

Y es que, en efecto, hasta llegar al río, la entrada en París de las huestes del capitán Dronne había sido hecha casi sin disparos. A lo largo del camino ahora cada vez más lleno de gente, desde las aceras, desde la calzada, corriendo como locos, sonriendo, llorando, bailando, tratando de encaramarse a los blindados, los que habían hecho acopio de valor, en el fondo todos los que habían esperado cuatro años este momento, preguntaban a voz en cuello: «¿Quiénes sois, quiénes sois? ¿Sois franceses? ¿Americanos? ¿Quiénes sois? *Vive la France!*».

«¡Somos republicanos españoles! —les contestaban a gritos desde los camiones, perdida toda prudencia—. ¡Somos La Nueve!».

«¿La Nueve?».

«La Nueve, sí, y hemos venido a sacaros las castañas del fuego. ¡Eh, parisinos, ya hemos llegado los españoles! ¡Viva la República!».

Noviembre de 1940

2

Manuel la desnudó con sumo cuidado, procurando no tocar sus pechos, su vientre o su sexo, haciendo más de padre que de amante. La obligó a ponerse de pie en la bañera y con una esponja hizo que el agua caliente corriera por su cuerpo una y otra vez, mientras buscaba señales reveladoras del maltrato que hubiese recibido. Pero no descubrió ninguna, aparte del hematoma en el pómulo y el rasguño en la frente, solo la delgadez extrema y la palidez.

Al cabo de un rato, la enjabonó muy despacio, toda entera desde el pelo hasta los pies.

—No me tocaron, ¿sabes? —murmuró Marie—. Esto de la cara me lo hicieron en la estación cuando vinieron a detenerme y me encontraron durmiendo en un banco de la cantina de los ferroviarios. Me resistí y...

—Ya sé, ya.

Se sentó en la bañera y luego se deslizó por ella con los ojos cerrados hasta que el agua la cubrió casi por entero y solo quedaron al aire sus hombros y su cabeza y, altivos como siempre, sus pechos.

—Pero fue casi peor. Creí que me iban a violar... Cuando me llevaron al centro de la Gestapo en la avenida Foch..., a uno de los salones, uno que da al jardín, a una escalinata grande que hay... ¡Dios! Era... era como una sala de paso. Había muchos soldados que iban y venían continuamente y unos tipos con abrigo de cuero, ya sabes..., los hijos de puta. Alguno era francés... Eran los únicos que me miraban. ¡Qué asco! Me obligaron a sentarme en un sofá... Nadie me decía nada. A mi lado había un cenicero de pie lleno de colillas malolientes y, detrás, una escupidera. Pasaban delante de mí como si yo no existiera. Cuando se paraban a apagar un cigarrillo en el cenicero, parecía que yo no estaba allí... Solo los franceses... Y al cabo de no sé cuánto tiempo, una o dos horas, supongo, vino una mujer gorda y grande..., muy fuerte..., me agarró por los brazos y me puso de pie. Acercó su cara a la mía y me gritó: «*À poil!*», ¡en pelotas! —Marie abrió los ojos y ya no dejó de mirarle hasta que concluyó su confesión, ¿era una confesión?, sí, a Manuel le pareció que sí lo era, aunque ignoraba de qué pecado—. Me quité la chaqueta y la mujer me gritó: «*Schnell!*», ¡deprisa!, y luego me puso la mano en la parte de delante de la blusa y me la desgarró de arriba abajo. No sé cómo, porque no estaba para fijarme en nada más, pero me di cuenta de que dos soldados jóvenes se habían detenido a contemplar la escena. La mujer se volvió a mirarlos y dijo algo en alemán que no entendí. Los soldados sonrieron, se encogieron de hombros y se fueron. La mujer giró de nuevo hacia mí y dio dos palmadas, «*Schnell!*»... y... y... entonces me quité la falda y la combinación y me quedé solo con el sostén y las bragas... De pie, así, expuesta a todos. De pronto la bestia aquella dio un rugido... Me señalaba las bragas y luego el sujetador y enseguida dio un paso hacia mí con aire verdaderamente amenazador. ¡Oh, Manuel! Estaba aterrada, indefensa... Yo... yo... Marie la fuerte, la valiente guerrillera. —Rio con rabia—. Yo... —Él alargó una mano y le sujetó la muñeca pensando que así le infundiría ánimos.

—No sigas, no hace falta que sigas.

—Sí —murmuró ella—, sí que hace falta... Déjame, tengo que seguir... ¡Dios! —Dio un largo suspiro y excla-

mó—: Y luego, luego... me oriné... allí mismo, sin poderme contener... de puro miedo, mi amor, ¿te das cuenta?
—Se le saltaron las lágrimas—. La mujer me miró con...
con desprecio y me volvió a gritar: «*Schnell!*». Entonces,
muy deprisa, me quité el sostén y las bragas y me quedé,
así, desnuda, de pie delante de todos, todos los que estaban allí, los que pasaban... que ahora sí me miraban. Debería haberme negado a desnudarme, pero tenía tanto
miedo... Me parecía que si me quitaba la ropa voluntariamente, a lo mejor el castigo terminaría ahí. Colaboraba,
¿no? Si colaboraba no me harían daño, ¿verdad? Entonces la mujer se inclinó para recoger mi ropa y su cara
quedó a la altura de mi sexo. Estuvo un buen rato así, mirándome. —Sollozó—. Y... y luego levantó la mirada y
sonrió... Fue la sonrisa más sucia que he visto en mi vida.

—Marie, Marie —dijo él en voz baja—. Marie, se ha
enfriado el agua. Ven, sal del baño, déjame que te seque y
te ponga ropa caliente, ven.

Como una autómata, se puso de pie y salió de la bañera. Manuel la rodeó con una gran toalla de algodón y le
frotó la cabeza y la espalda para que no perdiera el calor.
Luego hizo lo mismo con sus muslos que tanto adoraba y
sus pantorrillas, con los brazos y las manos.

Marie se sentó en el borde de la bañera y se arrebujó
en el improvisado albornoz. Manuel se puso en cuclillas
frente a ella. Por entre los pliegues de la toalla, ella alargó
una mano y le acarició la cabeza y la cara.

—Ay, mi amor. Aj... Sin decir nada más, la tipa aquella
se fue con mi ropa y yo me quedé desnuda. ¡Desnuda!
¡Allí, en aquel salón de paso! Aquella puta sabía cómo
humillar a la gente. Yo estaba enferma de vergüenza. Me
tapé como pude con las manos y me senté en el sofá..., un
sofá verde y sucio, de terciopelo raído, un verdadero
asco. Tiritaba de frío... No sabes lo que es el frío. Me do-
lían las rodillas de tiritar, pero fue un consuelo, ¿sabes?,

porque acabé concentrándome en el frío para no pensar en mi desnudez. Y cuando me pareció que lo había conseguido, se abrió la puerta de un despacho y se asomó un soldado. Me gritó: «*Sie!*», usted, y me hizo gestos de que fuera hasta allí. No me moví. Prefería morir. Hubiera preferido morir con tal de no cruzar desnuda aquel salón... No sé si era un resto de dignidad o qué. «*Komm!*», venga, me gritaba el soldado, hasta que uno que pasaba por allí debió de apiadarse de mí, levantó una mano para que esperara y de un perchero descolgó un capote y me lo tiró. Estaba rojo de vergüenza. El de la puerta le dijo algo con enfado... Me parece que debió de ser que no tenía que ayudarme, y el otro le contestó sí, sí, bueno o algo así y siguió su camino.

—De verdad, mi amor, no tienes que contarme todo esto, no tienes por qué sufrirlo dos veces, ¿eh? —Le puso una mano en cada hombro—. ¿Eh? —repitió.

—No. ¡No! Tengo que seguir. Entré en el despacho y, al pasar delante del soldado que me había llamado, me arrancó el capote de encima y de un empujón, me hizo caer al suelo. Detrás de una mesa de despacho estaba..., lo reconocí enseguida, Von Neipperg, el comandante aquel que habíamos conocido el día antes en tu piso... ¡Qué ironía! Los alemanes confiscan unas habitaciones de tu piso de París para un oficial de la Gestapo y resulta ser el que nos estaba buscando y persiguiendo, bueno, enseguida comprendí que persiguiendo a Philippa, pobrecita mía, tan tierna, tan elegante. —Rio con amargura—. La gran traidora que se había atrevido a desafiar a Hitler antes de escapar de sus garras. Una mujer valiente cuyo único crimen había sido despreciar al Führer en público. ¡Bah! Von Neipperg estaba de pie y me miraba con total frialdad, como si no fuera con él. Dios mío, qué mirada... Como si no me hubiera reconocido y yo fuera un bicho leproso. Me dijo: «Póngase en pie, qué le pasa, ¿le da vergüenza?». «Sí —le contesté—, ¿a usted no le daría vergüenza estar desnudo ante su carcelero?». Se encogió de hombros. Le daba igual. Se puso a hojear unos papeles que había encima de la mesa. Hacía mucho calor en la habitación aquella. «*Madame* De Sá, ¿verdad? —me preguntó—. ¿O debería más bien decir *mademoiselle* Weisman, la concubina de De Sá? Póngase de pie... Y déjese de falsas modestias. No estamos interesados en su sucia...». No recuerdo lo que dijo. Y luego añadió: «Bueno..., algunos de los soldados más bestias e ignorantes de las mazmorras de abajo sí están interesados, ya lo comprobará usted». Y de golpe me preguntó, como si yo no lo supiera, por el verdadero motivo de mi detención: «¿Dónde está Philippa von Hallen?». En una esquina de la mesa estaba el bolsón que yo llevaba cuando me detuvieron en la estación y delante, los cuadernos de memorias y denuncias de Philippa. Los reconocí enseguida... «¿Philippa? ¿Se refiere usted a la condesa Von Hallen, que siempre se opuso a su Führer y a cuyo marido mataron ustedes por la espalda en Múnich?», pregunté en un estúpido arranque de descaro, como si fuera necesario reiterar la historia de tanta iniquidad. Tontamente pensé que antes de que acabaran conmigo, defendería el buen nombre de Philippa. Von Neipperg hizo un gesto displicente con la mano. Cuando me preguntó por ella me habría reído de no haber estado tan muerta de miedo: aquel miserable me acababa de confirmar que lo único que le interesaba era Philippa. Pero ella estaba lejos de sus garras. «¿Por qué la persiguen ustedes? —le pregunté con inocencia—. ¿Todo un ejército para apresar a una frágil mujer que no puede hacerles nada?». «El Führer tiene mucho interés en hablar con ella», contestó él. «¿Dónde está?», insistió. «No tengo ni la más remota idea». «Le he dicho que se levante...». «Ni siquiera un conde alemán tiene esa falta de delicadeza», le contesté. Eso le llegó... Lo vi en su cara.

«¡Estoy desnuda! Tengo frío...». Entonces ladeó la cabeza y con un gesto de la barbilla, así —Marie levantó la barbilla—, indicó al soldado que me devolviera el capote, pero cuando me lo iba a poner sobre los hombros, hizo un gesto para que se detuviera. «¿Dónde está la condesa Von Hallen?», repitió. «Iba hacia Vichy en el tren al que no pude subirme», contesté. Von Neipperg dio un respingo y exclamó: *«Ach so!»*. Comprendí que hasta entonces ellos habían pensado que Philippa aún estaba en París. «¿Está en Vichy entonces?». «No lo sé», dije, «supongo que ya no, que irá rumbo a la libertad..., que se les ha escapado... Pero, por Dios, ahora deje que me tape». Se encogió de hombros y miró al soldado. Este dejó caer el capote a mi lado. Lo agarré con las dos manos y por fin conseguí cubrirme. Entonces pude mirarle y de pronto él sonreía como si yo hubiera dicho alguna gracia que solo pudiera comprender él. «¿De modo que hacia la libertad, eh?». Hice que sí con la cabeza y añadí: «Philippa iba en el tren con Manuel de Sá». Von Neipperg rio. «Valiente este De Sá que huye y la abandona a usted en manos de la Gestapo...». Eso dijo.

—Bueno, no iba muy descaminado. —Sonrió él con tristeza.

—¿Tú, que eres el hombre más fiel, más leal y más valiente que conozco?

—No lo soy, no.

Marie lo miró con extrañeza, como si en su tono hubiera detectado algo fuera de lo habitual. Hizo un gesto con la boca y continuó:

—Me reí. No sé cómo tenía ánimos para reírme, pero Philippa había escapado de sus garras y eso, solo por eso, era un triunfo, ¿sabes?, que merecía... Y le dije: «Fue culpa mía». Señalé el bolsón que estaba encima de la mesa y le dije que me había dejado la bolsa de viaje en el cuarto de los ferroviarios de la estación y tuve que volver a por ella. «¿Sí, eh?» Sonreía. Luego estuvo en silencio un tiempo y después me miró con desprecio. «Por el momento no me sirve usted de nada más —dijo—, pero a lo mejor la voy a guardar como moneda de cambio. ¿Sabe usted lo que es una moneda de cambio?». No le comprendí. «Da igual», añadió. «Irá abajo, al sótano...». Me dio un escalofrío de miedo... «Hasta que decidamos qué hacer con usted. Probablemente la deportaremos a Alemania si no decidimos fusilarla antes. Vístase». Mi ropa, bueno, lo que quedaba de ella, estaba ahí sobre una silla y no la había visto hasta entonces. La blusa desgarrada, las bragas sucias... Von Neipperg volvió a mirarme mientras me vestía. Oh, Manuel, era como si contemplara basura. En voz baja dijo: «¡Cerda judía!», algo así como *Judensau*... creo, y había tal desprecio en su cara que fue como si me diera una bofetada. Y comprendí, lo comprendí bien: yo no era un ser humano para esa bestia bien educada... Era un perro. Era un perro para todos ellos y por eso les daba igual que estuviera vestida o desnuda, que tuviera pelo u hocico, les daba igual. Me llevaron al sótano y me encerraron en una celda pequeña, sin un mueble, nada, solo un retrete. Estuve creo que tres días encerrada sin que nadie me dijera nada... A veces hacía mucho frío... No siempre, no habría podido aguantarlo sin morir. Imagino que las tuberías de la calefacción y del agua subían por el sótano y mantenían un poco de calor... Solo oía de vez en cuando gritos desgarradores, aullidos. Era gente a la que estaban torturando, supongo... No podía ser otra cosa, aunque te juro que me parecían animales a los que estaban desmembrando... De vez en cuando se abría la puerta y yo me refugiaba contra una esquina del cuartucho aquel, segura de que venían los esbirros que me había prometido Von Neipperg para llevarme a una cámara de tortura... Pero no. Era la horrible mujer que me traía un trozo de pan revenido y un tazón de sopa. Nunca me decía

31

nada. Por las noches, suponía que era de noche, hacía mucho frío. Intentaba envolverme en mi abrigo, pero servía de poco... Mi único consuelo era pensar en cómo nos habíamos burlado de aquel miserable y en que Philippa estaba a salvo aquí... —Sonrió y a Manuel se le cayó el alma a los pies—. Un día volvió la mujer y me hizo señas para que la siguiera. Me llevó hasta un lavabo que había en un pasillo, me dio una toalla pequeña y sucia y un trozo de jabón de Marsella y estuvo ahí, delante de mí, mientras me lavaba como podía. Me dio un jersey y una falda. Luego me llevaron a un coche y me condujeron a la estación. Dos soldados me subieron a un vagón y se sentaron conmigo en el compartimento. Me brincaba el corazón. ¡Me devolvían a ti! Por eso no me importó que no dejaran de vigilarme hasta la línea de demarcación. ¡Qué más me daba! ¿Querían impedirme escapar? ¡Imbéciles! En la frontera se apearon los dos y pude seguir sola hasta aquí. Un revisor se apiadó de mí y me trajo un bocadillo de salchichón y un poco de vino... —Se encogió de hombros—. Y aquí estoy.

Manuel la ayudó a vestirse con ropa limpia. Después Marie quiso que se tumbaran en su cama y que él la abrazara fuerte, fuerte, le dijo.

Dio un suspiro de contento.

—Creí que nunca volvería a verte —murmuró.

—Yo también —contestó él, cerrando los ojos con fuerza.

Y en el mismo tono apacible y satisfecho, ella preguntó:

—¿Y Philippa? ¿Se la ha llevado ya Domingo a España? ¿Han pasado por tu casa de Les Baux? Siento no haber podido saludarla antes de que se marchara...

Manuel no contestó.

Inmediatamente, Marie supo que algo no estaba bien. Se incorporó sobre un codo para poderlo mirar. Había fruncido el ceño.

—¿Manuel?

Él tardó algún tiempo en responder, y a medida que pasaban los segundos, la expresión de Marie iba ensombreciéndose hasta adquirir la certeza del desastre.

—La detuvieron en Lux —dijo él en voz casi inaudible.

—La... ¿Pero quién...? Los alemanes no pueden entrar en la zona libre.

—La policía francesa.

—¿Qué? ¿Cómo...? ¿Tú estabas allí?

—No.

—¿La habías dejado sola?

—Era el sitio más discreto para que no la descubrieran mientras... Yo había vuelto a Vichy para intentar conseguir tu liberación.

—Y la habías dejado sola.

—En el Métropole, con Le Saunier.

—Oh, Dios mío... ¿No comprendes que aquellos tipos que nos dieron cobijo en el hotel y luego nos ayudaron a llegar hasta París no eran de fiar, que eran una pandilla de vendidos? ¿Él y los ferroviarios y los revisores?

Mentir solo tentó a Manuel una fracción de segundo.

—No fueron ellos, Marie.

—No te entiendo.

De pronto, comprendió. Le miró con horror.

—Dime que no la entregaste a los nazis. —Él no contestó—. ¡Dímelo!

—Era tu vida o la de ella, Marie —murmuró por fin.

Ella se apartó y haciendo girar las piernas fue a sentarse en el borde la cama. Doblando el espinazo, bajó la cabeza hasta apoyarla en las rodillas. Estuvo así un largo tiempo antes de volver a enderezarse. De pronto, aquella Marie era una persona diferente: ni rastro de su humor, de su amor, de su travesura, de su ternura, de su sensualidad. Ni rastro.

—¿Mi vida o la de ella? ¡Pero no comprendes nada! Has mandado a la muerte a una amiga que confió en ti... Te has vuelto loco.

—Era tu vida —repitió él.

—Pero, en el nombre de Dios, ¿cómo pudiste hacerlo?

—Bousquet, tu amigo, el jefe de la policía.

—¿Eh?

—Me puse a buscar a quien pudiera sacarte de París... Hasta pensé en el mariscal... Armand me consiguió una entrevista con Bousquet... Ya ves, al que menos esperaba.

—¿Y?

—Bueno, qué quieres que te diga... Me ofreció un trato: tú por Philippa. —Se encogió de hombros—. Y acepté.

—¿Pero cómo aceptaste nada de ese idiota engreído? Philippa, Manuel, la peor enemiga de Hitler, una noble que lo despreciaba y que lo había combatido en su propia casa...

—¿Que cómo acepté? Habría aceptado lo que me hubiera propuesto, Marie..., lo que me hubiera propuesto. ¿No lo comprendes? Decidí que haría lo necesario para que te devolvieran a mí y tuve que escuchar la mayor sarta de tonterías que he oído en mi vida, la mayor sarta de justificaciones idiotas que... que pudiera discurrir un francés vendido a los nazis... Un baboso, Marie, Pero... él tenía la llave de tu libertad. ¿Cómo no iba a aceptar lo que me propusiera? Bousquet es un cínico, pero es un cínico con poder... y no me importó su cinismo sino su poder: era tu vida la que estaba consiguiendo, la de la mujer a la que amo por encima de todo a cambio de la de una mujer rota...

—¡No digas rota!

—Bien, bueno, rota no. Pero a cambio de la de una mujer a la que hace una semana no conocía ni de nombre. No debiste quererme tanto, no debiste hacer que te quisiera tanto. ¿Cómo iba a dudar? Era tu vida, Marie...

Marie, pálida como la muerte, lo miraba con los ojos muy abiertos.

—La habíamos encontrado, Manuel, perdida en París, con los alemanes buscándola para entregársela a Hitler, un tipo tan mezquino que solamente quería vengarse de ella por el desprecio... —Sacudió la cabeza con rabia—. Una mujer sola y desamparada que se había atrevido a despreciar al todopoderoso amo de Alemania, en público, en su misma cara. Vaya, lo había avergonzado tanto que ese asesino hasta había tenido que mentir sobre cómo habían matado a su marido por la espalda y disfrazarlo de suicidio. ¡Era un símbolo, *el* símbolo, y tú...! ¿Y ahora vienes a decirme que estaba justificada tu traición? ¡Pues no quiero esta vida que me regalas! Y no quiero vivirla a tu lado para tener que acordarme todos los días del precio que hubo que pagar. —Estaba inmóvil, rígida sobre la cama.

—¿Qué quieres decir? —preguntó él, espantado.

Sacudió la cabeza como si no le hubiera oído.

—Estamos en guerra, Manuel, en guerra. Y en la guerra se hacen sacrificios, unos por otros... —Vaya sarcasmo, pensó él, que se lo estuviera diciendo precisamente a él—. Yo sabía lo que arriesgaba, ¿te acuerdas? Defender a Philippa era defender nuestras casas, era defender la decencia.

—¿Qué me importaba a mí Philippa? Con todo lo que la quieres desde hace un par de días —ironías a estas alturas, pensó—... En un minuto tuve que escoger entre tú y ella. Son las desgracias de la guerra. Había que escoger y eras tú..., eras tú, ¿no lo entiendes? Porque yo sí lo entendí —añadió con desesperación—. No me hizo falta ni un segundo. Por salvar tu vida, por salvar nuestra vida, habría traicionado cualquier cosa, lo habría traicionado todo. ¿Por esta guerra estúpida? ¿Tú no?

—No es una guerra estúpida, Manuel. Y además, acabábamos de justificarnos: ya habíamos pagado el precio de nuestra guerra, la razón que nos impulsa a luchar: habíamos salvado a nuestra primera víctima. ¿No comprendes que entregándola a nuestros enemigos, dábamos marcha atrás, negándolo todo? Estábamos diciendo no, no, salvar a esta víctima no vale, no vale el precio que hemos comprometido como luchadores. ¿Qué somos? ¿Soldados que solo luchan si el premio vale la pena? ¿Hay perseguidos de primera y de segunda clase?

—Ni hablar. No, Marie. Hay precios que se pagan y precios que no se pueden pagar, que no se deben pagar, ni siquiera como luchadores. Porque antes de esta puta guerra, pasas tú, mil veces pasas tú, cien mil veces pasamos nosotros dos.

—En lo que a nosotros respecta, es el acto en sí de la cesión lo que traiciona lo que somos, lo que representamos. Hasta ahora había cosas que nos distinguían del enemigo... El sacrificio...

Poco faltó para que Manuel la acusara de decir chiquilladas románticas, pero se contuvo. Por un momento hasta pensó que sus diferencias tenían que ver con sus respectivas edades, con sus niveles de madurez; supuso que ella, con una generosidad que se le antojaba infantil, era incapaz de comprender lo que significaba limitar los daños.

—No, mi amor, lo siento. Para pagar ese precio, deberían haberse buscado a otro que vendiera. Además, no estaba en mi mano decidir por ti. Nadie te iba a preguntar lo que ibas a hacer. Me lo preguntaban a mí. ¿Quién era yo para decidir por ti que te sacrificaras?

—Manuel, en esta guerra tú tenías la llave de mis decisiones igual que yo la tenía de las tuyas. Cuando te has metido en ella, has tomado todas las decisiones de antemano..., siempre las más duras. En una guerra no hay caminos fáciles.

—¿Ah? ¿Tú qué habrías hecho en mi lugar, Marie?

No contestó. Y él pensó, Dios mío, no ha dicho nada.

Hubo un largo silencio durante el que ella evitó mirarlo.

—Pues yo, ya ves. Yo sí sé lo que he hecho. Es duro, es triste, lo siento... —La miró a los ojos—. Volvería a hacerlo mil veces.

—Y volverías a perderme otras mil.

—¿Perderte?

—Claro, mi amor. —De golpe se le inundaron los ojos de lágrimas—. No podría vivir el resto de mi vida contigo y con un fantasma entre los dos reprochándonos continuamente su sangre.

—¡No puedes decirme eso! —Le dolía la boca del estómago como si hubiera recibido un puñetazo. Alargó un brazo para tocarla pero ella se apartó con un respingo.

—¡No! Si me tocas, no podré...

—¿Eres capaz de decirme así, sin más, que esto se acabó? ¿Así, en un segundo, le das la vuelta a nuestras vidas sin siquiera mirar atrás? ¿Una contrariedad y todo se va al traste?

—Las puñaladas al corazón son así, mi amor. Un momento antes estabas vivo y al siguiente has muerto... —Aquello fue tan cruel que a Marie le dio un ataque de tos. Cuando lo controló, se secó con la manga un reguero de saliva que le había quedado en la comisura de los labios.

—¡No te he dado ninguna puñalada! ¿De qué me acusas? ¿De salvarte la vida? ¡Pues vaya un pecado!

—Habría sido mejor que me dejaras morir.

—¿Dejarte morir para no verte más? Nadie en su sano juicio puede pedirme eso. Además... ni siquiera sabes si han matado a Philippa... No lo sabes... Ni qué le van a hacer.

—¿Hitler? ¿Recuerdas lo que nos dijo Philippa de él? Te lo repito: ¿recuerdas que es un loco vengativo y acomplejado? La matarán, ya lo creo que la matarán. Y la torturarán antes. Lo sé con tanta seguridad, lo tengo tan en la entraña como el dolor que siento ahora. —Sollozó, un gemido largo y ronco que ya no dejó de salirle de la garganta hasta el final. Sollozaba y sollozaba y sollozaba entre palabras y frases, tanto que a él le costaba comprenderla—. Lo sé igual que sé que nunca amaré a nadie como te amo a ti.

Le caían las lágrimas a borbotones. Viéndola así, tan destruida, tan desamparada, a Manuel se le quitaron de golpe todas las frías idioteces que se le iban ocurriendo para vencer su resistencia tras una discusión que, imbécil de él, había considerado académica. Una discusión académica, sí. ¿Cómo se puede ser así de insensible?

En aquel momento, reventada la racionalidad, Manuel comprendió que solo le quedaba el recurso de suplicar. Se puso de rodillas ante ella.

—Por Dios, Marie... Está bien, me equivoqué..., me equivoqué. Pero ya no hay remedio, es una equivocación sin remedio. No sé cómo decírtelo. Es verdad, tienes razón, pero, bueno, bien..., es una catástrofe horrible. De acuerdo, está bien. ¿Y ahora? ¿No entiendes que lo he hecho por la mejor de las razones? Lo he hecho por el amor que te tengo. ¿Eso no nos redime?

—No, Manuel, no nos redime.

—¿Cómo puedo explicártelo para que me puedas perdonar? Tras este desastre solo quedamos nosotros. Por Dios, Marie, si la muerte de Philippa, sí, hasta eso te concedo: que yo supiera que la condenaba a muerte..., si la muerte de Philippa no ha servido de nada, si nada de esto ha servido, si no quedan ni los amantes..., la guerra habrá ganado todo, habrá destruido todo. ¿No lo entiendes? Si hemos pagado este precio, al menos que nos quede nuestra vida...

Intentó coger sus manos, pero ella las apartó. Quiso abrazarla por la cintura y beber sus lágrimas pero no le dejó. Y entonces, Marie acabó de clavarle el cuchillo. Encogiéndose de hombros, dijo:

—Además, no me habría pasado nada. A los judíos franceses no nos hacen nada.

—¿Cómo lo sabes? ¿Cómo sabes que no se habrían vengado de la fuga de Philippa matándote a ti?

—No me iban a hacer nada... ¿me oyes? Nada. ¿Qué podían hacerme? En Francia todavía no matan a la gente por no llevar los documentos en regla o estar en la zona equivocada. Aunque te parezca mentira, este es un país civilizado. Bousquet te engañó. —Manuel se puso de pie delante de ella, pero Marie ya no quiso mirarle. Murmuró—: Y ahora, vete... Adiós, amor mío... —Se tapó la cara con las manos—. Vete, por Dios, te lo suplico.

—¡Ah, no! ¿Cómo quieres que me vaya? ¿Después de todo lo que ha pasado? No tienes derecho a destruir todo... todo esto. —Hizo un gesto con la mano, señalando inútilmente a su alrededor como si aquella habitación anodina contuviera todo lo que los unía—. No puedes. ¡No puedes condenarme a haber enviado a una mujer a la muerte para nada!

Marie levantó la cabeza.

—Yo no lo habría hecho —murmuró mirándole por fin a los ojos—. Ya ves —sonrió con tristeza—, me dices que después del desastre únicamente queda nuestro amor y que él, solo él, sirve para el futuro, que no importa la tierra quemada que dejan nuestros errores. Pues te equivocas porque, amándote por encima de todas las cosas, yo habría ido a ponerme delante del pelotón de fusilamiento pensando en mi amor por ti. No por Francia, ¿me oyes...? ¿A quién le importa Francia? Por ti, Manuel, por ti..., el mejor amor de todos... Ya ves. —Se quedó en silencio y al cabo de un momento, añadió—: Vete, por Dios, vete.

—¡No me pidas eso!

—... Y algún día, a lo mejor..., a lo mejor podemos volver a mirarnos a los ojos...

Se levantó con esfuerzo, como si le fallaran las piernas. Mirando a Manuel con tristeza, alargó su mano y dejó que languideciera por un instante sobre su brazo. Luego se dio la vuelta y salió de la habitación. Cerró la puerta sin hacer ruido. Solo al cabo de un momento, él oyó que el pestillo encajaba en la cerradura con un pequeño chasquido sordo. Nada le había parecido nunca tan definitivo.

Se apoyó de espaldas contra la pared e inclinó la cabeza hacia atrás. A qué quejarse.

Algún día, había dicho ella. ¿Qué día? ¿Qué clase de dulzura tenía que recuperar Marie para ser capaz de perdonarlo?

Se encogió de hombros y salió al pasillo. Sin volverse a mirar, abrió la puerta de la calle y empezó a bajar las escaleras.

Manuel

3

Lux, el pueblo del pequeño nudo ferroviario que separa-
ba la zona sur, sarcásticamente llamada Francia Libre, de la
zona norte, apropiadamente llamada Francia ocupada (por
las tropas alemanas), era aún más desolador de lo que recordaba. Y apenas habían trascurrido unos pocos días
desde la última vez que había estado allí.

El hotel Métropole en el que Marie y yo habíamos pasado una noche esperando a que nos embarcaran sigilosamente en el tren que iba a París (que tuvieran que embarcar sigilosamente a dos franceses para que pudieran
viajar por Francia tenía su aquel) seguía luciendo el mismo aspecto de abandono. Solo que entonces íbamos llenos de ánimo en busca de sus padres y de Philippa von
Hallen. Bueno, Marie era la entusiasta; yo iba con un
miedo cerval a que nos pillaran: sabía lo que nos pasaría
si eso llegaba a ocurrir. Philippa von Hallen, la condesa
Von Hallen, que vivía escondida en París huyendo de los
nazis, era una amiga de los padres de Marie. Se trataba
de encontrarla, sortear todos los peligros de un París
ocupado por quienes la buscaban, subirla a un tren de
vuelta a Lux y esconderla nuevamente, pero esta vez en
Vichy.

Y hoy regresaba yo por primera vez desde el desastre
de nuestro viaje a París y de su final precisamente en
Lux. Recordé a Philippa, a la que dejé sentada en el banco
que había fuera del hotel mientras yo me volvía corriendo

a Vichy. Arrebujada en una manta, me miraba con una sonrisa de ánimo mientras me alejaba. Allí estaría segura, le había dicho, allí no la buscaría la Gestapo, allí debía quedarse hasta que volviera a buscarla para llevarla a mi casa de Les Baux, en la Provenza. Todo parecía tan sencillo: pasaríamos unos días en casa para darle oportunidad de recuperarse un poco y allí la recogería Domingo González, nuestro anarquista preferido, para llevarla hasta España por los desfiladeros del Pirineo. Todo muy sencillo. Ahora me parece que la mirada de tristeza que se adivinaba detrás de la pequeña sonrisa de Philippa revelaba su poca confianza en lo que había de suceder. Sí, eso era, y sé que debí darme la vuelta, volver atrás, subirla a mi coche y llevármela de allí.

No lo hice.

Ahora, pocos días más tarde, plantado delante de la entrada del hotel tras regresar a Lux, no me moví hasta que se abrió la puerta del bar contiguo y se asomó Le Saunier, el dueño del Métropole que lo había organizado todo con sus compañeros los ferroviarios: nuestra ida, de Marie y mía, a París y el regreso desde la estación de Lyon de la capital a Lux, se suponía que de los dos y de Philippa von Hallen.

Tal como ocurrió, Marie, cuando ya estábamos a bordo del tren antes de arrancar de París, exclamó: «¡Los diarios de Philippa!», y sin que nadie pudiera detenerla, se bajó para volver a la cantina de los ferroviarios, recuperar los diarios y regresar. Tampoco eran tan importantes, me parece. Solo encerraban unas notas para un ensayo que Philippa iba a escribir sobre el totalitarismo y, lo más sustancial, su descarnada acusación contra Adolf Hitler, la demostración de su maldad y doblez. Un caso de libro, decía ella: Adolf Hitler como encarnación del mal, la razón de su ascenso, la crueldad insensible de sus métodos, la persecución brutal de los judíos..., incluso las razones estéticas del rechazo al que le había sometido la alta sociedad muniquesa. Pero ¿a quién iba a sorprender ella con sus acusaciones? Como si las revelaciones de una mujer indefensa pudieran dañar la imagen del gran Hitler, el conquistador de Europa.

Imagino que lo único que interesaba al comandante Von Neipperg, de la Gestapo, era obtener los diarios para que no pudieran ser difundidos y para que su Führer siguiera siendo a los ojos de sus compatriotas el líder sin mancha que los llevaría al Reich de los mil años. No es que arriesgara dejar de serlo, como si a Hitler pudiera importarle lo que opinaba de él una mujer solitaria e indefensa o la vileza de sus actos puesta de manifiesto en las páginas escritas por ella. Era a sus lugartenientes a quienes importaba proteger su nombre frente a los alemanes. Ocurre siempre lo mismo con los dictadores: además de ejercer un poder omnímodo y despiadado, ellos y sus lugartenientes, sobre todo sus lugartenientes, pretenden mantener una apariencia liberal de compasión, bondad y cercanía. Nada debe ensombrecer la personalidad irreprochable del jefe, por más que, para un vanidoso obsesivo y esnob como Hitler, el desprecio de una mujer de alcurnia tuviera que resultarle insoportable. Muchas veces Philippa lo tildó de payaso en público o abandonó ostensiblemente cualquier reunión social en la que apareciera el Führer. Hitler no se lo iba a perdonar.

Así son las cosas: la maldad verdadera está en los pequeños detalles innecesarios.

En la cantina de los ferroviarios Marie recuperó aquellos cuadernos de letra menuda y firme, pero no pudo luego regresar al tren porque tuvo que esconderse hasta que pasara la patrulla alemana que iba en nuestra busca. Y cuando acababa de pasar, el convoy ya había salido rumbo a Lux. No debíamos preocuparnos, dijo Le Saunier, vendría en el siguiente tren un día después. Solo que no vino en el tren siguiente porque la Gestapo la encontró en la misma estación.

Hicimos el viaje, Philippa, que era bien pequeña, escondida en un doble techo del vagón, y yo, metido en uno de los baúles del atrezo de Sacha Guitry, que iba a Vichy a representar una de sus obras. En el baúl, en el que habían practicado una pequeña abertura para que yo pudiera respirar, olía a sudor. Durante parte del trayecto, estuvieron apoyados sobre él dos soldados alemanes que iban fumando y gastándose bromas.

—*Monsieur* De Sá —exclamó Le Saunier al verme—, no pensaba que volvería. —Me pareció que su actitud era agresiva, como si, en lugar de defenderse por las tonterías que él y sus compinches habían cometido, se dispusiera a justificarlas con suficiencia. Me daba igual. Que hiciera lo que quisiera. Nada de todo aquello tenía ya remedio.

—¿Qué pasó?

Le Saunier se encogió de hombros.

—Nada... Todo iba normalmente, la condesa Von Hallen pasaba las horas sentada en una mesa del bar —señaló hacia atrás con la cabeza—, escribiendo en un cuaderno del colegio de mi hija. Luego, a los pocos días, vinieron unos policías en un Peugeot de la Sureté y se la llevaron. Así, sin más. Se hubiera dicho que ella los esperaba porque ni siquiera protestó..., ni siquiera quiso resistirse. —Sacudió la cabeza—. Ni siquiera... En fin... nada.

—¡Dios mío...! ¿Y qué ha sido del cuaderno?

—¿El que ella escribía?

—Sí.

—Los policías anduvieron rebuscando en sus cosas y pusieron su habitación patas arriba, creo que sin saber muy bien lo que buscaban. Pero no lo encontraron. —Sonrió—. Está debajo de unos menús al lado de la caja.

Sé bien que este es el final del camino. Ansío reunirme con Carl, si es que existe un lugar en el que los amantes se reencuentran tras la muerte. Estoy cansada de huir y de esconderme. Pero no me rendiré, y sé bien que mi final será un tiro en la nuca, la muerte por inanición o una paliza en uno de esos campos de concentración montados en Alemania para acabar con la decencia. Tengo mucho miedo, pero no me rendiré. ¡Peor fue que asesinaran a Carl por la espalda en nuestra propia casa!

¿Dónde estarán mis cuadernos ahora? ¿Qué será de ellos? Me entristece pensar que se perderán, pero al menos sí quiero relatar lo que no conté en ellos: nuestra historia, de Carl y mía, que finalmente solo puede interesar a mis hijos.

Nací en Múnich en 1890 en el seno de una familia católica de la aristocracia bávara. Tuve una infancia normal y feliz: el palacete solariego, la casa de verano en Garmisch, las acampadas en el bosque, las Navidades llenas de música y regalos. Yo era la mayor de seis hermanos, tenía un padre, el barón Festenau von Lubitsch, al que reverenciaba, y una madre, célebre por su belleza y su dulzura, que fue hasta su muerte la verdadera estrella de la sociedad muniquesa.

Al terminar el bachillerato en el Gymnasium, con la aquiescencia de mi padre, ingresé en la universidad para estudiar la licenciatura de historia y de filología francesas, mientras completaba la carrera de piano. No he vuelto a tocar desde la muerte de Carl; me entristece demasiado. En 1912 empecé a preparar mi tesis doctoral sobre Voltaire y el laicismo; nunca la acabé: la Gran Guerra, por un lado; la dificultad social de la disertación para una mujer en aquel tiempo, por otro, y por fin, el amor me acabaron de derrotar. En el último curso de la licenciatura conocí a Carl von Hallen, un joven alto y guapo que terminaba abogacía para seguir la tradición de la familia. ¡Cómo era de joven! Impulsivo, muy simpático y desde luego muy decidido: me propuso matrimonio la noche misma del baile en que nos conocimos.

Nuestra boda fue el acontecimiento social muniqués más sonado de 1913 y casi se diría que de lo que iba de siglo. Asis-

tieron el káiser Guillermo, el gran duque Miguel de Rusia y hasta un par de príncipes de la realeza inglesa. Los Von Hallen eran una poderosa familia de banqueros y abogados del sur de Alemania y nadie discutía su influencia a la hora de confeccionar listas de invitados. Más aún si se añadía la de la familia Festenau. Tal vez esta situación de doble privilegio fue lo que me impulsó a lanzarme a la agitación política sin temor a las consecuencias sociales. Sabía que la sociedad me absolvería al considerar que mis acciones correspondían a una excéntrica más que a una rebelde indiscreta.

Durante la Gran Guerra, madre ya de dos hijos muy pequeños, aprovechando la ausencia de Carl, entonces jovencísimo capitán en el ejército imperial alemán, me comprometí en la causa del voto femenino, que las sufragistas consiguieron en 1919. Le recuerdo diciéndome después con amargura: «Debimos aplazar esa lucha: fue el voto de las mujeres lo que dio el poder a Hitler». Pronto me impliqué en movimientos pacifistas y en 1931, al día siguiente de la fundación de la sección alemana de la Alianza de Madres y Educadoras para la Paz Mundial, me uní a ella decidida a luchar por la paz, supremo insulto a la gente de bien.

La década de los veinte fue turbulenta en Múnich: crecían la marea antisemita y, sobre todo, el nacionalsocialismo de Hitler y sus hampones. Una gran parte de la sociedad muniquesa se implicó con bastante entusiasmo en ambas causas. Es evidente que sin la ayuda de los grandes industriales, de los banqueros y de la buena sociedad alemana, Adolf Hitler, el bufón de todos ellos, no se habría encaramado al poder absoluto. Él mismo confesaba que, patoso como era y carente de toda gracia, se sentía como un macaco en las reuniones a las que lo invitaban las grandes damas locales, especialmente Elsa Bruckmann, antigua amiga nuestra y antisemita furibunda.

Al principio, miré con curiosidad no exenta de condescendencia a este patán austriaco llamado Hitler. No me esperaba a un gritón tan vulgar y tan inculto. Me había propuesto dejarme conquistar si era preciso. Para mi sorpresa ocurrió todo lo contrario: sentí auténtico desdén por él. Sí me impresionaron *su actitud jactanciosa y su constante animosidad. Era un hombre manifiestamente mediocre, desde luego, pero algo tenía que tener, además de su capacidad para la demagogia, para que se entendiera su rápido ascenso y su acceso a la Cancillería en tan poco tiempo. Supongo que, de modo primitivo pero hábil, puso su histeria al servicio de la gran industria, de los conservadores y de los monárquicos, contra los judíos, los marxistas y la República. Me da vergüenza reconocerlo, pero después de su triunfo en las urnas, toda Alemania fue feliz durante años.*

Carl y yo contemplamos con alarma creciente el ascenso de Hitler y la vergonzosa colaboración que le prestaban una porción considerable de la nobleza y la sociedad alemanas y, desde luego, la gran finanza. No solo se trataba de la política antisemita (para eso la sociedad alemana no necesitaba a los nazis), sino de lo brutal e inmediata que era la represión de todo intento de oposición al Führer. No quiero ni recordar la andanada de insultos con que se acogía en Múnich cada reunión de la Alianza de los Pueblos o de las Madres Educadoras para la Paz: «Griterío de hembras salvajes», «Judías con mucho dinero que venden pacifismo», «Mujeres histéricas»...

Nos implicamos mucho en la campaña electoral de 1932 y 1933. Carl gastó dinero a manos llenas para financiar a candidatos del SPD, alquilar salas de reuniones e imprimir carteles. Con todo, es probable que mi peor pecado fuera menospreciar públicamente a Hitler, llamarle payaso, ignorante y analfabeto y abandonar de forma ostensible cualquier reunión a la que llegaba el futuro canciller. Para qué hacer un elenco de las barbaridades que se cometieron a lo largo de 1933. Hasta consiguieron acabar con el enemigo público número uno: en junio quemaron veinte mil libros en una espantosa pira levantada en la plaza de la Ópera de Berlín.

Una camisa parda; ¿puede pensarse en algo más parecido al pelo de una rata?

Luego, al principio del verano de 1934, tuvo lugar la siniestra Noche de los Cuchillos Largos durante la que fueron asesinados decenas de enemigos reales o imaginarios de Hitler, incluidos Röhm, uno de los compinches de la primera hora del Führer, y Von Schleicher, el canciller anterior al propio Hitler, y su esposa. Nos libramos de la muerte por milagro porque, grandes amigos como éramos, siempre que visitábamos Berlín, nos alojábamos en su casa de Potsdam. Carl, indignado y entristecido, no se mordió la lengua: se puso en contacto con Dorothy Thompson, la periodista norteamericana que un par de años antes había entrevistado y ridiculizado a Hitler en la prensa americana. Carl habló con Dorothy y contó lo que de verdad había pasado. Los esposos Von Schleicher habían sido abatidos sin contemplaciones por los nazis. Claro que antes de que se publicara la entrevista de Carl, pusimos tierra de por medio y nos refugiamos en París; afortunadamente, nuestros hijos estudiaban ya en la Universidad de Yale.

El Führer no se lo perdonó nunca. Como todo sanguinario mediocre y soberbio, su memoria para lo que consideraba ofensas personales o desprecios era larga y su capacidad de venganza, interminable.

Carl y yo nos convertimos en implacables activistas antinazis. En los años que siguieron recorrimos el mundo, interviniendo en actos contrarios a Hitler, encabezando manifestaciones, escribiendo manifiestos, recaudando fondos y gastando los nuestros sin límite, ayudando a miles de judíos y opositores al régimen a escapar de la Alemania nazi.

Fuimos felices en aquellos años, pese a los peligros que corríamos. Viajábamos por todos lados (a Estados Unidos, con frecuencia, para visitar a nuestros dos hijos que ya vivían en Nueva York), teníamos nuestro cuartel general en París y en invierno alternábamos las estaciones suizas de montaña con el balneario de Punta del Este en Uruguay. En tres ocasiones los nazis atentaron contra nuestras vidas, dos en Uruguay y una en París, y solo la extraordinaria sangre fría de Carl y la suerte nos libraron de una muerte segura.

Y en una única ocasión, en el otoño de 1938, viajamos a Múnich. Fue típico de Carl que lo hiciéramos para resolver los problemas de la servidumbre de casa, llevarnos a la cocinera y a dos doncellas a nuestro chalet de Klosters y disponer lo necesario para que a los demás no les faltara de nada durante el tiempo que tardáramos en volver a Alemania. Yo, además, quería recuperar estos cuadernos que perdimos hace unos días en París; contienen las notas y referencias para escribir un ensayo sobre el ascenso del nazismo y de los fascismos en Europa, incluido un estudio específico sobre Adolf Hitler.

Había querido hacer el viaje sola para no exponer a mi marido a los evidentes peligros que encerraba su presencia en Múnich. A mí no me iban a reconocer después de tantos años y además pensaba hacer un viaje relámpago, e incluso esconderme en la casa de mis padres en Garmisch. Pero Carl no quiso ni oír hablar de eso y, tras repetidas promesas de sigilo y prudencia, tuve que ceder. Carl me acompañó.

La misma tarde de nuestra llegada subrepticia, Carl fue visto en el jardín de casa por uno de los vigilantes del barrio, un hombre de mediana edad al que habíamos procurado trabajo años antes, rescatándolo de un tedioso y mal pagado empleo de ordenanza en el banco de la familia. Y aquella noche, cuando Carl paseaba en la oscuridad por entre los viejos castaños de su jardín, un disparo hecho desde la calle a través de la verja acabó con su vida.

¿Cómo describir el dolor? ¿Cómo podría explicar lo que aquel disparo hizo con mi vida? ¿Cómo describir el sentimiento que me produjo comprobar que los asesinos tenían la frialdad y el cinismo de proclamar que la muerte de Carl había sido un suicidio?

No me fui de Múnich, claro que no. ¿Cómo me iba a ir? Hubiera preferido la muerte. En realidad, prefería la muerte. Sin Carl quería morir. Habría sido lo más fácil. Pero... ¿quién iba a atreverse a atentar contra mí en presencia de una muchedumbre de duelo que fue a acompañarme hasta el panteón familiar? El extraordinario gentío, inexplicable para los terribles tiempos que corrían (aunque es bien cierto que la propia prensa nazi se había lavado las manos de la muerte de Carl), se mantuvo en silencio frente a la tumba recién abierta. Me situé unos pasos por delante de todos. Quise estar sola; a mis hijos les había prohibido venir y me esperaban en París. Su presencia en Múnich habría sido demasiado tentadora para los matones del Reich.

Cuando el féretro de Carl fue introducido en su nicho del panteón, terminado el responso entonado por el cardenal arzobispo de Múnich, me di la vuelta y me encontré cara a cara con el ministro del interior bávaro y con el alcalde de Múnich. Ambos se adelantaron para presentarme sus respetos, pero bajé los brazos y giré la cabeza. Se produjo entonces un momento verdaderamente embarazoso y tenso, hasta que los dos políticos, sonrojados hasta la raíz del pelo, hubieron de marcharse sin pronunciar palabra. No habría sido capaz de dar la mano a aquellos dos asesinos; les habría vomitado encima.

La presencia de la sociedad muniquesa en masa en el entierro marcó un antes y un después en las relaciones de esta con Hitler. Nadie iba a oponerse al Führer, no se habrían atrevido, pero sí se le hizo patente un desprecio silencioso y resentido. Y, por más que Hitler pretendiera ignorarlo, le zahería en lo más profundo de su esnobismo. Tanto, que el Münchner Neuesten Nachrichten llegó a publicar que la noticia del suicidio había sido falsa y, al cabo de unas semanas, que habían sido detenidos los autores del crimen, unos vulgares maleantes a los que se había aplicado sin dilación la legislación especial, es decir, se los había ajusticiado.

Desde Suiza hice público mi mentís a semejantes patrañas y prometí luchar sin desmayo contra el Tercer Reich. Naturalmente, poco después fui desposeída de la nacionalidad alemana.

El estallido de la guerra me pilló en París y la invasión de las tropas alemanas (¡oh, su desfile por los Campos Elíseos!) en este mismo año de 1940, también. Había sopesado la idea de escapar y refugiarme con mis hijos en Nueva York. Decidí no hacerlo porque mi lucha estaba aquí, en Francia, mi país de adopción tan torturado y humillado. Bueno, pues parece que aquí se acaba.

Si ese es mi destino, que sea. Sin embargo, espero que mis cuadernos de recuerdos y de lucha me sobrevivan intactos, no por el daño que puedan hacerle a ese rufián de Hitler, sino para que mis hijos tengan un recuerdo fiel, el testimonio de lo que *fuimos su padre y yo, de tal modo que nuestra lucha sirva para enterrar definitivamente al monstruo. Hoy, viendo la miseria moral en la que está sumida mi patria, no tengo la más mínima duda de que el Reich será derrotado y destruido para siempre. ¿Cuánto tardará en hundirse? No lo sé, pero estoy absolutamente segura de que, en un plazo máximo de diez años, el nazismo habrá desaparecido de la tierra. En buena hora se hundan en el fango.*

Marie y Manuel han sido mis ángeles guardianes mientras han podido: no los han derrotado las circunstancias sino una fuerza infinitamente superior en número y en crueldad. Me buscaron en París —fueron expresamente a buscarme en París— solo porque se lo pidió Olga Letellier, esa tan adorable amiga, llena de generosidad y corazón. Olga estaba preocupada porque me había dado cobijo en una buhardilla suya en la rue du Bac e intuía que la Gestapo me buscaba. Sabía que si me encontraban, ese sería mi final.

Pues Marie y Manuel vinieron a buscarme y me escondieron en casa de Manuel hasta que pudimos coger el tren hacia Vichy. Marie se quedó en París para salvaguardar los cuadernos y por eso la detuvieron los alemanes. ¡Me siento tan responsable, tan culpable por ello! Y encima me enteré después de que los padres de Marie, viejos y queridos amigos de tiempos universitarios, vivían apenas a unas manzanas de la buhardilla en la que me refugiaba. ¡Habría sido tan sencillo encomendarme a ellos si lo hubiese sabido! En fin, eso tenía decidido mi destino. Final de trayecto.

La generosidad y valentía de los dos jóvenes amantes para conmigo y la sencillez del amor que se tienen lo compensa todo. A ellos encargo estas líneas y espero que también los demás cuadernos (por cuya custodia arriesgaron tanto), si es que son recuperados. Por favor, háganselos llegar a mis hijos en Nueva York. Sé que es mucho pedir, pero si me permiten la humorada, es un encargo que les hago desde el más allá.

No pude seguir leyendo. Las letras se me emborronaban, difuminadas por la emoción. En el final de una página, una lágrima, como si fuera un copo de nieve azul, había esparcido la tinta sobre una palabra, «allá», me parece. Pero el llanto no era de emoción, sino de vergüenza. Había mandado a esa mujer a una muerte segura y ella me pagaba alabando lo que llamaba mi generosidad y hasta aceptando que yo no podía haber hecho nada para salvarla.

¿Yo generoso? ¿Cómo habría podido compararme con Marie o con Philippa? ¿Con Philippa, llena de valentía y fragilidad? ¿Con Marie, mucho más joven, mucho menos experta, pero también llena de fortaleza? ¿Cómo me iba a comparar con ellas si yo había sido quien las había condenado?

Me pregunté entonces si las pocas páginas que había escrito Philippa en sus últimas horas de libertad serían lo único que se salvara de sus recuerdos, de su marido y de su lucha. Y, de forma muy recóndita, en el fondo de mi memoria y de mi mezquindad, asomó el alivio egoísta por las únicas alabanzas que en aquel último cuaderno quedaban consignadas sobre mí, sobre mi valentía y la generosidad con la que había estado presente en este episodio. Pensé que tal vez, con un poco de suerte y empeño, todo aquello me ayudaría a recuperar el calor de Marie. ¡Cuánta miseria!

Metí el cuaderno en el bolsillo interior de mi abrigo, subí al coche y arranqué en dirección a Vichy, sin decir palabra. En el pequeño retrovisor del guardabarros vi el reflejo de Le Saunier inmóvil, plantado delante de su hotel con un pie apoyado en el primer escalón de la pequeña escalinata de acceso.

Pensé: «No me volverán a ver en este miserable villorrio abandonado de la mano de Dios».

Así eran mi estado de ánimo y, sobre todo, mi cobardía: al llegar a Vichy no di señales de vida ni fui capaz de acudir a la casa de Olga Letellier, la protectora de

Marie, en donde ella estaba alojada, para hacer un último intento de recuperarla.

Estuve brevemente en mi habitación de hotel, lo suficiente para recoger mis cosas más indispensables y poner rumbo a Les Baux, mi casa de la Provenza. Seguro que ahora la encontraría desierta, inhóspita y fría, apenas un relicario de las horas pasadas en ella con Marie, del descubrimiento de la pasión y de la felicidad precaria. Tan precaria como imaginaba que debe de ser un sentimiento desprovisto de cualquier futuro, por arrasador que sea. ¿Es así, no? Me habían derrotado mi edad, la fuerza de las convicciones pueriles de Marie y hasta el sino catastrófico de dos amantes irremediables.

¿Qué más podía hacer? Huir. Huir, ¿no?

Era como si enfrentado con el rumbo que habían tomado los acontecimientos, me dijera: «Claro, ¿qué otra cosa podía pasar?»

Con los pocos cupones de gasolina que me quedaban y algún soborno (todavía, en Vichy, algunos privilegiados con enchufe, y desde luego con dinero, nos estábamos librando del gasógeno; pero por poco tiempo), llené el tanque de mi coche y, sin perder más tiempo, me puse en carretera rumbo a la Provenza.

Miraba a mi alrededor mientras conducía, procurando evitar los baches y socavones que había ido dejando la guerra en el camino y en las riberas de los ríos, en los villorrios medio derruidos y las ciudades. Y no podía dejar de pensar en aquella otra vez, hacía tan pocas semanas, en que mi ánimo, al recorrer este mismo trayecto, era exultante. ¡Cuánta diferencia entre este viaje a la desesperada y el anterior con Marie sentada a mi lado! Entonces me la estaba llevando lejos de Vichy para que ella, judía francesa, no padeciera la angustia que había de provocarle la promulgación por el gobierno de Pétain del estatuto de los judíos. ¡Y pese a aquella preocupación, cuántos recuerdos luminosos que oponer a la desesperación de ahora!

¡La sorpresa del repentino beso apasionado al principio de los tiempos cuando Marie salió del baño, envuelta en un albornoz blanquísimo y con el pelo aún empapado! Fue ella, fue ella. Ella me derrotó, me puso a su merced, me conquistó sin una palabra.

¡El sabor de sus pechos y de su sexo que todavía me parecía paladear sobre la lengua! ¡Y los paseos por entre las flores, y las charlas de madrugada, y el vino blanco de la tierra y el queso y las aceitunas amargas...!

Y luego aquellos lánguidos desayunos con el sol recorriendo con lentitud el torso desnudo de Marie, su estómago y después su ombligo hasta deslizarse sobre la mata encendida de pelo rojizo que le cubría el pubis. Aún hoy recuerdo con desmayo cómo, una mañana, entre sus pechos se había detenido llena de pereza una única gota de aceite de oliva, resto de un mordisco glotón dado a un tomate de mi huerta. Le hice decenas de fotos y ella me preguntaba riendo dónde pensaba hacerlas revelar, asegurando que sería detenido por pornógrafo. Ah, su risa.

Y eso era todo. Todo mi recuerdo. El resto, un dolor insoportable.

Muy tarde de noche llegué a Les Baux, a mi propiedad en las afueras de Les Alpilles, una pequeña masía con cuatro hectáreas de olivo y vid. Hacía frío. De golpe se nos había desplomado el invierno. Llovía mansamente, como lo hace en el Mediterráneo, que siempre parece sorprendido de gris oscuro cuando lo azota el mal tiempo. Allí nada tiene costumbre de la inclemencia. Los inviernos en la Provenza son más inhóspitos que en cualquier otro lugar de Francia porque todas las plantas, los olivares, las matas de lavanda y de verbena, los matorrales de jara se agostan, se encogen por la falta de hábito y dejan pasar la corriente heladora del mistral sin poderlo impedir y sin desprender aroma alguno. A lo mejor me lo parecía a mí, influido por mi tenebroso estado de ánimo; aquella desolación casaba bien con él y hubiera sido una traición a mi tristeza que me recibieran los campos en flor, calentados por un sol tempranero de primavera.

Detuve el coche frente al porche de la masía e inmediatamente se encendió una luz en la pequeña casa de al lado, la que ocupaban mis guardeses, Maurice y Albertine Cassou. Al poco se abrió la puerta y asomó la cabeza de Maurice.

—¿Quién anda ahí? —preguntó con voz de sueño.

—Soy yo, *m'sieu* Maurice...

—¡Ah, *monsieur* De Sá! No le esperábamos. ¡Qué sorpresa! —Y remetiéndose la camisa en los pantalones, añadió—: Bienvenido, bienvenido, ya lo creo que sí. Ahora mismo le digo a Albertine que le prepare la cama. ¿Va a querer que le hagamos algo de cenar? ¿No ha venido la señora?

—No. Se ha tenido que quedar en Vichy.

—Vaya. Cómo lo siento, *monsieur*. Nada grave, espero. Ya sabe..., tal como están los tiempos...

—Sí. Sí que están mal, sí.

Me di un baño muy rápido, comí un poco de queso y pan y un vaso de vino que me dio Albertine y me derrumbé sobre la cama.

Dormí como una piedra durante ocho horas. En algún momento de la noche debí de cubrirme con el edredón para no pasar frío.

Llovió sin parar durante los tres días siguientes. Los pasé sin salir de casa metido en la biblioteca rumiando rencores y dolores, sin saber cómo proceder. Le diera las vueltas que le diera, el final era siempre el mismo: enco-germe de hombros, no por indiferencia sino por incapa-cidad. Creo que fueron las peores setenta y dos horas de mi vida. Con mucha desgana y teniendo que forzar la vo-luntad, también aproveché las horas de la mañana para escribir a los hijos de Philippa una carta detallada con todo lo que había pasado, incluida mi intervención tan horrorosa en el asunto. Philippa, en la tapa de su último cuaderno escrito en Lux, había consignado la dirección de los dos en Nueva York. Esperaba tener ocasión de confiarla a algún correo cuando menos neutral.

Al final del tercer día oí unas risotadas inconfundibles que provenían de la casa de los guardeses. No podía ser otro que Domingo, el hombre risueño para el que no existían obstáculos en la vida.

Domingo González era un joven anarquista que ha-bía luchado en la Guerra Civil española y que había lle-gado hasta nosotros lleno de bravura, de desprecio por el peligro, de planes imbatibles para castigar a los malos y premiar a los buenos, lo que quería decir llevarse por delante al enemigo e intentar ayudar al amigo. Sus ma-quinaciones eran, por lo general, disparatadas, entusiastas, feroces, regadas con vino, generosas y llenas de risotadas e improperios.

Pocos meses antes, precisamente aquí en Les Alpilles, había aparecido en nuestras vidas de la mano de Aristi-des de Sousa, el cónsul portugués, que, mientras intentaba librar en Montauban a don Manuel Azaña de las garras de los fascistas españoles, había rescatado a Domingo de uno de los campos de concentración montados por el go-bierno de Francia para aislar a los refugiados españoles que huían derrotados de la Guerra Civil de allende los Pirineos. Antesalas del infierno a las que yo ni siquiera hubiera querido asomarme. Cada vez que hablaba de ello, Aristides palidecía y bajaba la mirada, yo creo que por la vergüenza que le daba pertenecer al género humano. Este hombre era así de bueno.

Al principio, Domingo era un combatiente derrotado, flaco y herido, pero en unas cuantas semanas, recuperados el ánimo y la fuerza, se había convertido en el sostén moral insustituible de todos nosotros, pobres víctimas de la nueva esclavitud. Iba y venía haciendo planes, continuando en el fondo la guerra emprendida tres o cuatro años antes contra el poder, los políticos, los banqueros, el estado, los ricos, la iglesia y todo lo que se moviera y que él pudiera considerar enemigo. Que eran muchos para un anarquista convencido. En ese torbellino de vida no había claroscuros: todo era blanco o negro. Parecía estar presente en cualquier momento, cuando se le necesitaba. Nunca dejó de asombrarme su capacidad para moverse por toda Francia como si dispusiera de un salvoconducto milagroso que lo mantuviera a salvo de persecuciones, batallas y enemistades. Hasta había asistido en Vichy a una cena de alto postín vestido con un traje mío. Eran tiempos confusos y, probablemente, con su belleza varonil, dio el pego sin que se le notaran en exceso las manos encallecidas y el tamaño exagerado de sus hombros.

En fin, Domingo era Domingo y su presencia repentina en Les Baux me llenó de alivio.

—¡Hey, camarada! —exclamó al verme—, ¡amigo! —Se giró en redondo y con una estrepitosa carcajada se abalanzó sobre mí para darme un abrazo—. ¡Manuel, Manuel! ¡Qué barbaridad! Qué mal aspecto tienes. Tan grandullón como eres y te has quedado en nada. Estás hecho una mierda, camarada. Pero ¿qué te ha pasado, hombre? ¡Maurice! Tráenos una botella o dos de tu buen vino, que este *pobret* y yo tenemos que hablar. Ven aquí, Manuel, vamos a tu biblioteca y cuéntame todo lo que te ha pasado.

—¡Qué desastre de días, Domingo! —contesté.

—Ya lo sé, ya. Algo me han contado. Bueno... De hecho, he pasado por Vichy pero no he conseguido enterarme de los detalles. Ven aquí, siéntate y cuéntamelo todo.

Me sirvió un vaso de vino bien lleno y él se puso otro, encendió un cigarrillo de picadura («¿De dónde los sacas?», le pregunté cuando lo estaba liando en un papelillo; «De Huesca», me contestó como si se tratara de un secreto de estado) y, sin dejar de mirarme con atención, se arrellanó en una butaca. La preferida de Marie, la que solía ocupar durante nuestras tardes de charla íntima.

—Y ahora, empieza... y no te dejes nada.

Estuvimos horas hablando. Domingo me interrumpía de vez en cuando para que le aclarara algún detalle, pero sobre todo para blasfemar o maldecir. Fue largo porque le tuve que explicar el viaje a París, nuestra llegada a mi piso de la plaza de Alma, la desagradable sorpresa de que hubiera sido requisado por la Wehrmacht y que viviera en él un oficial, el conde Von Neipperg (que además se aprovechaba del arte culinario de mi Angelines de toda la vida), que resultó ser el que nos perseguía, la huida hasta la estación y todo lo que había pasado después. Incluida mi traición a Philippa von Hallen y las consecuencias que estaba pagando.

—¿Tú que habrías hecho, Domingo?

—¿Yo?

Asentí.

—¿Yo? Habría hecho lo que tú, camarada. Lo siento por la buena de Felipa, pero igual que tú, habría salvado a Marie y no le habría dicho nada de esa traición de que te acusa. Oye, ojos que no ven... Y a vivir felices. Tienes las espaldas anchas, camarada, y con el tiempo se te habría pasado el sentimiento de culpa, ¿sabes?

—No sé, Domingo, no sé.

—Que sí, hombre. —Se rascó la barbilla y luego rellenó las dos copas—. Bueno, pero en cualquier caso ya no tiene remedio... En fin, toca decidir lo que vamos a hacer ahora.

No podíamos saberlo, pero en ese instante estábamos a punto de tomar una decisión que nos cambiaría la vida de arriba abajo. Por completo. A los dos.

—¿Adónde crees tú que habrá ido la buena de Marie?

—Se habrá quedado en Vichy...

—Qué va, Manuel, qué va. Con la rabia que tiene en el cuerpo y el odio hacia todo lo que es Vichy, ese Vichy acobardado que es como una señorita timorata, joder, con el meapilas de Pétain haciendo de padre cura, Marie no aguantará allí ni un minuto más. ¿No la has visto cómo es? ¿Una polvorilla siempre dispuesta a armar la de Dios? Parece mentira que la conozcas tan mal. Claro, como te tiene el seso sorbido...

—No es eso, Domingo. No la has visto, no has visto cómo estaba después de enterarse de lo de Philippa. Destruida. Destruida, sí, no me mires así.

—Venga, hombre, esta chica saca fuerzas de flaqueza. Le sobran por los cuatro costados. Te lo vuelvo a decir: tal como es, no se acobarda ante nada. Se va a ir a la guerra, camarada —añadió riendo—, como Mambrú. No se quedará a comer grajeas de Vichy, no, ni a que unas doncellas con cofia —esto lo escupió con desprecio bienhumorado— le sirvan chocolate espeso en casa de su tía o lo que sea... La tía Olga, ¿eh? Qué va. Le va a dar por poner bombas o algo así. Una metralleta, si pilla una metralleta, no se te ocurra ponerte delante...

—Sí, ¿pero adónde?

—Pues irá a apuntarse a un grupo de la nueva Resistencia, la de los gaullistas o esos comunistas medio maricones. Apenas están empezando, pero ya sabes, esta chica... los encontrará. Ya verás.

—Bueno, pues me niego a aceptar que haya desaparecido. Está en algún sitio y la voy a encontrar, aunque sea para defenderla de sí misma.

—Ah —me interrumpió riendo de nuevo—, de modo que tu historia con ella se había acabado, ¿eh? De modo que su rechazo era definitivo...

—Infranqueable...

—Da lo mismo. Tienes tantas ganas de resignarte como yo de hacerme cura. ¡Venga, hombre! Vamos a buscarla. Y cuando la encontremos, te echará un ojo y, con lo blanda que es, se derretirá. Venga, vamos. ¿No tiene a nadie de familia? ¿Un padre, un hermano?

—¡Calla! —exclamé de pronto con la determinación recobrada—. ¡Claro que tiene! Cuando llegamos a París, como te dije, fuimos a casa de sus padres en el Barrio Latino.

—¡Acabáramos!

—Se me había olvidado el detalle. Sí, fuimos en su busca, pero no estaban. Se habían ido... Espera, espera... Se habían ido... ¿Adónde se habían ido? Le habían dejado una carta con la portera. El padre... el padre es un conocido catedrático de historia en la Sorbona, además de un héroe de la Gran Guerra. Lleno de condecoraciones y de heridas... Sí, un tipo muy respetado y muy envidiado a la vez. Pero, amigo, es judío, con lo que lo acababan de desposeer de la cátedra...

—Hay mucho hijo de puta por ahí...

—Sí. Sí que lo hay, sí. Sí, desposeído de la cátedra, pero creo que él intentaba marchar... ¿adónde? —De repente me acordé—: ¡Sí! ¡A Estrasburgo! Una parte de la Sorbona se ha trasladado a Estrasburgo y el padre de Marie había ido para allá para ver si podía recuperar su sitio amparándose en el hecho de haber prestado servicios destacados a la República en algún momento. No sé cuándo.

—Pues le deseo suerte.

—Ya. Pero esa facultad se ha trasladado temporalmente a Clermont, han dicho. De modo que, mira por dónde, han ido a parar al lado de Vichy. ¡Ahí es donde ha ido Marie!

—Pues ya sabes lo que tenemos que hacer. Nos vamos a Clermont. No te preocupes por nada, Manolo. Allá tengo un montón de compañeros en el sindicato de la Michelin. Nos ayudarán y nos alojarán mientras encontramos a tu novia. ¡Ánimo, hombre! Venga, vamos a terminarnos esta botella, que para luego es tarde.

—Es la segunda, Domingo.

—Ya. ¿Y?

—Nada, que me tomaría una tercera.

Domingo rompió a reír.

—Pues, venga —dijo.

Nos fuimos a dormir tarde, pero, vino o no, casi no pegué ojo. Habíamos decidido salir de madrugada hacia Clermont. No podía imaginar que era la última noche que pasaría acostado en una cama grande y mullida, cubierto con un edredón de plumas de oca.

Para el viaje, Albertine nos preparó un hatillo con un par de *baguettes*, que vaya usted a saber de dónde sacó, dos cuadrados de queso mascare, una botella de vino, algo de salchichón y un par de manzanas.

Y allí que nos fuimos.

4

Nos detuvieron a la entrada de Clermont-Ferrand. Fue un anticlímax. Un retén de la Guardia Nacional examinaba con indolencia la documentación de los pocos coches y viajeros que llegaban a la ciudad. Por lo que pasó después, supuse que había alguna instrucción dictada para todo el ámbito de la Francia Libre en la que se ordenaba mi detención. Aún hoy ignoro la razón, como no fuera una venganza maliciosa de la policía de Vichy, probablemente del mismísimo René Bousquet; es decir, que me castigaba por haber discutido violentamente con él la liberación de Marie a cambio de la captura de Philippa von Hallen y lo hacía con doble saña porque yo había terminado cediendo a su coacción y había entregado a Philippa.

Bousquet no era todavía jefe de la policía de Vichy, pero ejercía un poder omnímodo en tanto que héroe nacional (de cuando en 1930, muy joven entonces, había salvado a decenas de personas durante unas inundaciones en el sur de Francia) y niño mimado de Pétain. El prefecto más joven de Francia.

En el centro de la calzada, un policía armado con una metralleta nos esperaba mano en alto, mandándonos parar. Señalando la cuneta, me hizo aparcar a un lado de la carretera.

—¿Y esto qué quiere decir? —me preguntó Domingo.

—No quiere decir nada. Supongo que no es más que un control de rutina. No pasa nada —le contesté con más tranquilidad de la que sentía.

Tres policías armados se pusieron delante del coche y otros tres se colocaron a un costado. Uno de ellos nos rogó amablemente a Domingo y a mí que nos bajáramos del coche y le entregáramos nuestra documentación. Se apartó del grupo que formábamos con el resto de sus compañeros y entró en la casamata. Toda aquella parafernalia amable y pausada me hizo sospechar lo peor. Al cabo de unos minutos, un oficial de la policía elegantemente vestido con un uniforme bien planchado salió de ella y se acercó a nosotros; en la mano llevaba nuestros documentos, mi pasaporte francés y el portugués que había facilitado Aristides al bueno de Domingo. ¿Podía él pasar por portugués? Bueno, a pesar de su estatura, mi amigo tenía rasgos carpetovetónicos que revelaban su procedencia, cuando menos del sur del Pirineo. En esas condiciones, y con el acento con el que masacraba el idioma local, mejor ser portugués que anarquista catalán indocumentado...

El oficial, agarrándome por el brazo no sin brusquedad, me pidió que entrara con él en la casamata y, mientras Domingo quedaba fuera vigilado por los restantes policías, farfulló algunas palabras que no acerté a comprender.

—¿Cómo dice? —pregunté.

—Que ninguno de estos dos documentos corresponde a la realidad —contestó en tono de pronto desabrido.

—No le entiendo. Perdone, pero son pasaportes perfectamente válidos —insistí, señalándolos con la mano. Él retiró la suya como si hubiera querido impedir que se los quitara.

—No lo son, no, *monsieur* De Sá. Estos documentos son falsos.

—¿No reconoce usted un pasaporte francés válido? Entiendo que no sepa cómo es uno portugués, pero un documento emitido en París...

El policía rio burlonamente y, agitando los dos pasaportes como si fueran un abanico, dijo:

—*Monsieur* De Sá, usted no es francés por mucho que lo diga un pasaporte con todos los sellos de la República francesa. Nosotros, la policía del gobierno de Vichy, a las órdenes del mariscal y empeñados en la regeneración de Francia, rechazamos estas naturalizaciones, la suya, por cierto, bien reciente, rechazamos las naturalizaciones sobre todo de elementos ponzoñosos, inmorales y tramposos como usted.

—¿Cómo dice?

—¡Cállese! Usted es español, uno de los cafres que han pasado los últimos cuatro o cinco años, usted y sus compatriotas, entrematándose. Eso lo coloca a usted lejos de la civilización y de los valores de mi país, la sagrada Tercera República de Francia. Con la autoridad del gobierno al que represento en este momento, y le señalo que soy la única autoridad aquí y ahora, rechazo que usted tenga este pasaporte y lo exhiba para eludir la acción de la justicia.

—¡Pero usted no tiene autoridad para hacer eso! ¡Qué acción de la justicia ni qué niño muerto! ¡Devuélvame mi pasaporte ahora mismo!

—¿Que no tengo autoridad? ¿Que le devuelva su pasaporte? Mire lo que hago con su pasaporte, De Sá. —Sujetó debajo del brazo el documento de Domingo y sin más, rompió el mío en dos.

—¡Eh! —exclamé—. No puede hacer eso. Eso es un delito.

—¿No, eh? —Con su dedo índice, me empujó varias veces hasta que, desequilibrado, topé con la pared a mis espaldas. Entonces me agarró por las solapas y me sacudió con inusitada violencia para remarcar cada una de sus palabras—. Yo decido lo que es delito aquí. —Se calmó de golpe—. Y, por cierto, si su pasaporte es más falso que Judas, dígame lo que me parece el de su compinche.

Me había quedado sin habla. No así Domingo, que desde fuera soltó un sonoro: «¡Me cago en Dios! ¿Y estos tíos qué coño se han creído? Me quedo con sus caras... ¡Volveré! Y se van a enterar, ya lo creo».

Tardaron algunas horas en comunicar con la policía en Vichy para que les dieran instrucciones sobre qué hacer con nosotros. Al final, nos llevaron en un viejo Peugeot a gasógeno desde Clermont hasta Lyon. Mi coche quedó confiscado en un garaje de las afueras. Tal como iban las cosas, pensé que no lo volvería a ver en mi vida. No volvería a ver nada ni a nadie en mi vida. ¡Ay, Marie! En aquel momento no habría apostado por salvar el pellejo en ninguna de las circunstancias que se me presentaban como opción a corto plazo. Ni a largo plazo.

En Lyon nos subieron a un tren con destino a Toulouse. Allí, otro automóvil nos conduciría hasta nuestro destino final. Un viajecito de casi dos días, incómodo y gélido. En alguna de las estaciones en las que parábamos pude sobornar a uno de los gendarmes que nos custodiaban para que bajara a la cantina y comprara cualquier cosa de comer, generalmente pan revenido de dos o tres días y un poco de mantequilla rancia; a veces, un poco de queso. En Marsella, para lo que nos quedaba de viaje, pudimos hacernos con dos botellas de un vino horroroso («El vino francés es una mierda, lo sabías, ¿no?», me dijo Domingo), tres huevos duros, dos latas de sardinas y una *baguette*. En cambio, en el café de la estación y por un precio astronómico, nos comimos un caldero de patatas y atún que nos supo a gloria. También comieron los gendarmes y yo pagué por todos. Al final nos ofrecieron tabaco y Domingo se lio un cigarro. Yo no, claro. No fumo, pero por hacerles un favor a todos compré, también a precio de oro molido, un mazo de cigarros-puros, renegridos, rígidos y malolientes. Me parece recordar que eran toscanos, de esos que tienen una pajita a modo de boquilla. Dejaron el compartimento apestando a tagarnina.

Parece mentira que habláramos todo el tiempo de comida. ¿Y cómo no íbamos a hacerlo si nuestro dolor principal y constante era el hambre?

—Argelès —dijo Domingo de pronto, nada más arrancar de nuevo el tren.

—¿Cómo?

—Argelès, Manolo, Argelès. Lo peor. Allí es donde nos llevan. Como si lo viera. No nos bajaremos en Toulouse, no. No pasaremos de Agde.

—¿Argelès? ¿Qué es eso?

—Un campo de mierda, me cago en Dios, el peor campo de concentración que se les podía ocurrir a los gabachos. Ya te digo. Les sobra imaginación y sadismo... Verás, lo montaron a principios del treinta y nueve para meter a los centenares de miles de refugiados españoles, republicanos, se entiende, que fueran pasando la frontera por Port-Bou o directamente por el monte. —Resopló con rabia—. No eran solo soldados, no, camaradas que habían hecho la batalla del Ebro, tipos llenos de gloria. Qué va. Además de los luchadores, los anarquistas y comunistas, venían mujeres y niños y viejos jodidos de frío, con los pies helados y sin nada que comer. Por el monte, camarada. ¡Dios! Iban cayendo como moscas, muriendo de congelación, ¿sabes que se les helaba la sangre de las heridas y que se les caían trozos de piel y se les veían hasta los huesos? Se tumbaban en las cunetas y se dejaban morir... Muchos venían sin zapatos. No se me va a olvidar en la puta vida, Manuel. Los soldados aún llevaban las armas y los oficiales, sus pistolas. Y los gendarmes franceses les obligaban a amontonarlas según llegaban y sin esperar a más, se disputaban las que les parecía que estaban en buena condición.

—¡Qué espanto! ¡Qué hijos de puta! —Lo exclamé con todo sentimiento, pese a que era una expresión muy poco habitual en mí.

—Y eso no era nada. Yo iba con los refugiados y lo vi todo. Era de los pocos que no iba herido. Estaba con buen aguante, flaco después de la guerra, joder con el frente del Ebro, y de la caminata por el monte nevado y lleno de barro y hecho polvo por haber llevado durante muchos kilómetros a una vieja que pesaba ya menos que un niño de teta, pero iba con buen aguante. Soy joven, ¿no? Menuda putada. En las guerras habría que ser viejo para que te fueran matando con la vida cumplida, no por cumplir..., y se mueren los jóvenes. Bah, venga, a otra cosa. Como te digo, lo vi todo. Todavía me deja frito la capacidad de resistencia de la gente, su feroz voluntad de sobrevivir. No te lo puedes ni imaginar, camarada. Pero no hubo piedad para nosotros. Según íbamos llegando a Francia, no nos dejaban ni parar a darnos un respiro. Nos obligaban a seguir andando y a los que se caían los levantaban a patadas. No sé cuántos se quedaron sin moverse en las cunetas. Lo que llevaban quedaba desparramado por la nieve, pero nadie hacía nada por echar una mano. Los gabachos nos iban llevando a un puertecillo al lado de Collioure, pegadito a la frontera. Argelès. Argelès, sí señor. Yo creo que nos ponían tan cerca de España por si nos escapábamos, así acabaríamos de vuelta para que Franco nos diera por... De todas maneras, como Pétain y él son amigos, da igual una cosa que otra. ¿Qué más te da el que te da por culo? *Liberté, egalité* y *proculé*. —Rio con amargura—. No te puedes imaginar lo que es aquello. Bueno —volvió a reír—, me parece que lo vas a ver enseguida. ¡Nos amontonaban en la playa, por Dios! Por un lado, el mar; hacia el norte, un riachuelo, y por los otros dos costados, *fil barbelé*, alambre de espino. Ni una casa, ni una choza, ni barracones ni tiendas de campaña, ni un puesto de socorro, nada. A los que estaban peor, es decir, agonizando, se los llevaban a morir a los hospitales de alrededor o a un par de barcos sanitarios anclados allá al lado, en Port-Vendres. Un frío horroroso, ya te digo, una humedad que te calaba los huesos, piojos y pulgas, sabañones, sarna y uñas podridas. Y luego, las gangrenas. ¡Dios, el olor de las gangrenas! Eso fue lo que nos ofrecieron como hospitalidad los gabachos. ¿Refugiados? Ni hablar: prisioneros, después de haber luchado tres años por la libertad. ¿Cómo van a respetar estos miserables que se luche por la libertad si lo primero que han hecho cuando les ha dado un soplamocos Hitler es suprimirla? —Guardó silencio durante un minuto o dos, con la cabeza gacha; no me atreví a interrumpir sus pensamientos. Luego me miró—. ¿Tú sabes que no había agua ni para cocinar? Las pocas cosas que pudiéramos meter en una olla, ya sabes, había un reparto un par de veces por semana de legumbres medio podridas y carne asquerosa de morcillo, las teníamos que hervir con agua de mar. ¿Sabes lo que es eso? ¡Agua de mar, carajo! Ni letrinas había: todo lo teníamos que hacer en el mar o en agujeros en la playa. Disentería la llaman. Es un término muy fino: los demás nos cagábamos por la pata abajo.

—¿Y qué hacíais?

—Nada, ¿qué íbamos a hacer? Aguantar, sobrevivir y los que estábamos mejor, ayudar a los demás. Pero lo que peor me sentaba, bueno, nos sentaba a todos, era la mala leche de los franceses, su mirada de desprecio, lo ligera que tenían la mano; había un teniente que llevaba una fusta y te sacudía en cuanto te descuidabas. Y la humillación... Al final pudimos construir unos barracones, nada, un grano de arena en el mar, con planchas y troncos que nos fueron trayendo. Pensabas que, viéndonos, a alguno le iba a dar vergüenza o que se iba a apiadar. ¡Qué va! Cuanto peor nos veían, mayor era el desprecio. Y eso si no te mandaban al picadero.

—¿El picadero?

—Sí, una jaula en mitad del campo en la que encerraban a los díscolos, al aire libre, lloviera o hiciera un sol de justicia, daba igual. Allí murió mucha gente, hasta que nos plantamos, decididos a hacer frente a los gendarmes. Se achantaron... No pienses que lo nuestro era heroísmo, no. Ni hablar. Fue sencillamente que no podíamos más y que preferíamos que nos descerrajaran un tiro allí mismo.

—Pero ¿cuántos estabais allí?

—¿En el picadero?

—No. En el campo.

—¿En Argelès? Yo creo que llegamos a ser cien mil o más. No sé. Por ahí. Bah, poco a poco fueron llevándose a las familias, a las mujeres, niños y viejos y dejando solo a los soldados. Y no lo hicieron por bondad; lo hicieron por diseminarnos a todos y evitar que llegáramos a ser una amenaza. Y si tenías suerte, no te llevaban a la fortaleza de Collioure, que era un centro de castigo en el que murieron camaradas como moscas. Era tan bestial que se armó un gran follón en toda Francia. —Ante mi cara de sorpresa, añadió—: Sí, hombre. Seguro que te enteraste. Lo que pasó fue que te sonaba a muy lejos... Lo tuvieron que cerrar. A muchos camaradas anarquistas, los de la columna Durruti y muchos dinamiteros de la 26ª división se los llevaron a un campo aún peor, Le Vernet.

—¿Y a ti no, que eres anarquista?

—No. Para entonces había pasado por Argelès el bueno de Aristides de Sousa, tu amigo el cónsul portugués. ¡Qué tío más grande! Buscaba a una familia de viejos amigos suyos, Eduardo Neira y su gente, un catedrático en la Universidad de Barcelona. Aristides había conseguido plaza para todos en uno de los barcos que zarpaban desde Francia a México. Para los gabachos, si uno conseguía plaza en cualquier transporte para salir de aquí, te dejaban irte, ¿sabes? A enemigo que huye, puente de plata y todo eso, ¿eh? Como yo también me había hecho amigo de los Neira, la mujer de Neira tenía los ojos más bonitos que había visto nunca, tristes pero bonitos, me apunté al carro. Me fui con ellos y acabamos en Les Baux, en tu casa. ¿Qué te parece?

Sonreí.

—¿Podremos escapar?

—*Na*, qué va. Hombre, lo intentaremos, ¿eh? Pero no es fácil. Primero tendremos que ver cómo está la cosa, si se ha relajado la disciplina, si se ha fugado alguno últimamente. Ya veremos. Tú fíate de mí, que yo sé mucho de la vida de las ratas. Tú, en cambio, no tienes ni idea. Como eres un señorito, estás acostumbrado a dormir con pijama de seda, ¿eh? ¡No, hombre, no te lo tomes a mal! Tú, señorito, pero un tío cabal, camarada.

Llegamos a Argelès el día de Navidad de 1940.

Recuerdo tres cosas de aquel día: el frío húmedo que arrancaba desde los pies al pisar la arena mojada y subía hasta el cuello y las orejas, como si a uno lo metieran despacio de pie en una piscina de agua helada. Después, el paisaje desolado de una playa inmensa bordeada por un mar de color gris plomizo. Y por fin, los primeros internos que vimos, vestidos con harapos, indiferentes. Miraban con ojos ausentes; nunca había visto miradas de tanta desesperación. Eran muchísimos, casi como si estuvieran hombro con hombro de mil en fondo. Los había sentados sobre viejas maletas o tumbados sobre mantas. A centenares se apoyaban contra la alambrada mirando a los gendarmes que hacían guardia con sus mosquetones. Hablaban con ellos, alguno reía. De docenas de míseras tiendas de campaña hechas con un par de frazadas mal sujetas por pedruscos, se elevaban columnas de humo de los trébedes en los que cocían ollas, negras de hollín. ¡Agua de mar, santo cielo! Había aquí y allá unos cuantos barracones, algún muro bajo construido con piedras y tablones, paralelo al mar, para intentar parar el viento.

—Dios mío —murmuré.

—Te lo dije, ¿eh? —contestó Domingo—. Y eso que tú y yo llevamos abrigo. Menos mal que los dos son tuyos. Así nadie podrá decir que soy un explotador del pueblo exangüe. —Dijo «exangüe» con gran precisión, como si fuera una palabra utilizada por él en muchos mítines.

—No digas tonterías.

—¡Eh! Vosotros dos, aquí.

Armado con un mosquetón, un centinela que llevaba la cara y el cuello medio ocultos bajo una bufanda que le subía por la nuca hasta esconderse debajo del casco nos hacía gestos imperativos de que nos acercáramos al barracón que custodiaba. Había muchos gendarmes moviéndose por ahí con aire más o menos marcial. El frío los tenía ateridos y adormilados. Los que nos habían recibido al llegar en el coche que nos había traído desde la estación de Agde nos tenían quietos al lado de la alambrada mientras custodiaban la entrada al campo, un portalón de cuatro maderas cruzadas en forma de equis y forrado con lo que Domingo llamaba *fil barbelé*; frente a ellos, en un gran bidón ardía con fuerza un montón de maderos, algunos se calentaban las manos acercándolas al fuego. Otros caminaban con parsimonia, mosquetón al hombro con la bayoneta calada, por detrás de las alambradas del perímetro; y otros, por fin, manejaban una ametralladora colocada en lo alto de una torreta de madera. A lo lejos podían verse otras dos o tres torres iguales.

—Aquí —repitió el centinela y, empujando la puerta de madera, añadió—: Mi capitán, los dos nuevos de Clermont.

Entramos en una habitación grande que ocupaba el barracón de parte a parte. Parecía, por lo que deduje, cuarto de guardia y puesto de mando al mismo tiempo. Al fondo, tras una mesa de madera destartalada, se sentaba un oficial de mediana edad y cara malhumorada. Miraba unos papeles y los iba pasando a una pila que estaba a su derecha. El resto del cuarto aquel, calentado por dos estufas de carbón colocadas frente a frente debajo de las ventanas, lo ocupaban diez o doce soldados que, sentados en un par de banquetas o directamente en el suelo, fumaban llenándolo todo de brasas y humo.

—Acérquense —nos espetó el capitán.

Domingo y yo dimos unos cuantos pasos hasta quedarnos de pie delante de la mesa de aquel tipejo.

—¿Quién de ustedes es De Sá?

—Yo.

Me miró de través.

—Me dicen desde Clermont que usted pretende ser francés.

—Es que lo soy, capitán.

—El pasaporte que usted llevaba era falso.

—No, señor, no. Soy francés, sin duda alguna. Es más. Soy dueño de una masía en Les Baux y de un piso en París. Tengo propiedades en Francia, soy una persona... ¿cómo decirle...? una persona aceptada por las autoridades. No tienen más que preguntar quién soy en el gabinete del mariscal Pétain en Vichy y le darán cumplida información.

—¡Pero De Sá! —El capitán sonrió—. Algo poco recomendable habrá hecho usted cuando ha sido detenido por orden del prefecto Bousquet. ¡Bah! Dejémonos de tonterías. Me informan de que lleva usted encima un cinturón con dinero. Desabrócheselo y entréguemelo.

—¡Protesto!

El oficial se puso violentamente de pie, apoyó las dos manos sobre el tablero de la mesa, de modo que su cara quedó a pocos centímetros de la mía, y gritó:

—¿Es usted cretino o qué? ¿No me ha oído? Entrégueme el cinturón con su dinero si no quiere que los guardias lo desnuden, le quiten el dinero y lo saquen afuera en pelotas. ¿Me oye? Ganas me dan de quitarle el abrigo de todos modos. —Extendió el brazo haciendo repetidos gestos con la mano—. Y den gracias a que no los mando directamente a Le Vernet. ¿Sabe usted lo que es Le Vernet, De Sá? Un campo de castigo. Este de Argelès les va a parecer los Campos Elíseos.

—Dale lo que te pide, camarada —dijo entonces Domingo—. De todos modos, no te va a servir de nada...

Me desabroché el abrigo y la chaqueta, deshice la hebilla del cinturón, tiré de ella para deslizarlo por las presillas del pantalón y lo puse sobre la mesa. El capitán ni lo miró.

—Lárguense de aquí. Y cuando hayan andado doscientos metros hacia el interior del campo, se toparán con un barracón algo menos cómodo que este. Dentro encontrarán a compañeros suyos que los inscribirán en la lista de huéspedes del hotel de las Mil y Una Noches y les dirán lo que pueden hacer con sus importantes personas. ¡Fuera, venga, fuera! Ah —añadió cuando estábamos a punto de salir de la caseta—, y feliz Navidad. —Soltó una carcajada.

—¿Llevabas mucho dinero en el cinto? —preguntó Domingo cuando echamos a andar hacia el barracón de los presos.

—Pues sí, qué quieres que te diga.

—Nada. Vil metal. Te delataron los dos soldaditos que venían con nosotros en el tren.

—Sí, y encima los invité a comida en Marsella, dos botellas de vino y unos puros.

—Ya ves.

Fuimos andando despacio hacia unos barracones destartalados que se divisaban a lo lejos, construidos al buen tuntún.

—Allí es donde nos van a dar un vino español de bienvenida —dijo Domingo.

—Ya. Con salmón ahumado y unos pinchos de tortilla. —Pensé que se me estaba contagiando el humor ácido y negro de Domingo.

Había mucha gente deambulando, como una ciudad del norte en invierno a la hora de la merienda. Mucha gente, solo que con total ausencia de ruido. Pocas mujeres. Los hombres que circulaban aparentaban tener una edad que oscilaba en la mayor parte de los casos entre los treinta y los cuarenta, muchos vestidos con restos de uniformes, con algún correaje sujetando sus guerreras; otros llevaban todavía vendas anudadas en torno a brazos y piernas, supongo que más por conservar el poco calor que dieran las gasas que por sanar viejas heridas. Eran vendas color de barro.

Iban de aquí para allá sin rumbo fijo. Algunos hablaban alrededor de las hogueras que ardían un poco por todas partes. El frío era tan intenso y la luz tan gris que la única nota de color, el colorido solitario de aquella triste escena, lo ponían las llamas, naranjas y rojas, chisporroteando.

Un espectáculo mísero, empeorado por el sobresalto que me produjo ver a tres hombres caídos sobre la arena, inmóviles. No necesité mirarlos con mayor detenimiento. Estaban muertos. Se les notaba en la postura poco natural, rígida, sin movimiento. Una persona viva retiene la vida aunque sea un hilo, se intuye que conserva la capacidad de darse la vuelta o de doblar una pierna. Estos no. Muchos de los que deambulaban por el campamento tenían peor aspecto, es cierto, pero estos tres se habían rendido. «Dios —pensé—, se les ha ido el alma, por eso lo sé». Quise acercarme para ponerlos bocarriba, pero Domingo me retuvo por el brazo. Le miré sin comprender y él hizo un gesto negativo con la cabeza.

—¿Cuántos muertos has visto en tu vida, Manuel?

—¿Yo? Pues... no sé. No muchos, no.

—Bueno, pues vamos a seguir caminando. Estos no te sirven de nada.

—Algo habrá que decir a esta gente, ¿no? —insistí, haciendo ademán de ir hacia aquellos pobres hombres.

—Mira, pasa todos los días... Cuando hace unos meses me marché de aquí, morían diez o doce a diario. Ya ves.

—Ya.

Cerré los ojos y seguimos andando muy despacio. Al cabo de un rato, llegamos al barracón de los refugiados españoles. Cuatro o cinco que estaban apoyados contra la puerta de entrada nos miraron con curiosidad.

—Coño —dijo uno de ellos—, mira quién viene, dos príncipes de los bulevares de París.

—No digáis idioteces —contestó entonces Domingo—. Aquí el camarada y yo venimos desde Vichy. Pero no porque seamos ministros de Pétain, sino porque nos pilló la gendarmería montando una célula de la Resistencia allí mismo. Y los abrigos, compañero, que es por lo que preguntas y que ya te gustaría, se los quitamos a dos señoritingos en el hotel Du Parc. Estaban colgados en el perchero del restaurante y nos pareció que nos servirían más a nosotros que a los dos finolis a quienes se los quitamos. ¿Eh, compañero? —Me dio un codazo cómplice.

—Sí, desde luego —dije yo—. Perdón, pero allá fuera hay tres personas caídas en la arena. Me parece que están...

—¡Dios, otra vez! Vamos por la docena hoy, solo hoy. Hace demasiado frío para los más viejos. Qué quieres que te diga. Mueren como chinches. —Me dejó helado la indiferencia con que aludieron a los pobres muertos, allí tirados como despojos—. Ya los recogerán los soldados. Líderes de la Resistencia, ¿eh? ¿Y os han mandado a esta mierda de lugar? Pues menuda suerte tenéis.

—¿Cuánto lleváis aquí?

—Nosotros cuatro, desde finales de febrero del treinta y nueve. Nos pillaron nada más pasar la frontera y nos trajeron a este maldito agujero. —Se encogió de hombros—. Bueno, peor les ha ido a otros. Con nosotros cruzó Antonio Machado, ya sabes, el poeta, con su madre y su hermano y alguna gente más. A esos los mandaron a Collioure. —Sacudió la cabeza—. Murió al poco. Una desgracia como otra.

—Ya —dije.

—Oye —dijo uno—, allí al fondo, sobre la mesa aquella, podéis dar vuestros nombres y profesiones... No por nada, porque aquí cada cual es libre de hacer lo que quiera...

—Vale —dijo Domingo—, pues yo me voy a ir a dar un baño bien caliente.

—Muy bien, pues cuando salgas perfumado y peinado con gomina, te vienes a la mesa aquella si te sale de los huevos y te apuntas. —A nuestro interlocutor le dio un ataque de tos y se calló.

—¿Sabes lo que pasa? —dijo otro—. Aquí somos muchísimos y hay de todo: ingenieros, pilotos, artilleros, médicos y hasta algún profesor. Hay gente que, al llegar, quiere juntarse con sus compañeros de profesión o con su familia si hay alguna posibilidad de que haya acabado en Argelès... Otros se apuntan a la lista por si pudieran ser útiles para cualquier cosa o por si, de pronto, quisieran llevarse a un médico a cuidar heridos en las trincheras, qué sé yo...

—Otros esperan al reparto de turrones de Navidad —añadió uno riendo. Tenía los dientes negros de podredumbre y sorbía continuamente por un lado de la boca con un medio chasquido, para quitarse el dolor.

—No, en serio. ¿De qué vais vosotros, camaradas?

—De nada —contestó Domingo.

—Una cosa —pregunté—. ¿De aquí no se sale nunca?

—Qué va. Esto es una cárcel, amigo.

—Pero alguien se habrá escapado...

—Al principio, sí. Pero a medida que pasaban los meses, nos íbamos debilitando, muchos morían de hambre o de frío o de gangrena o de cagalera y al final, no tenemos fuerzas ni para escapar...

—Luego, hasta hace un par de meses, venían unos franchutes, nos daban de comer caliente, la mierda de siempre, pero caliente, y nos decían que escogiéramos: a los campos de trabajo en Alemania, a la Legión Extranjera en Argelia o de vuelta a España.

—Ya, y los que quedamos ahora no les servimos para nada... Por eso estamos todavía aquí, y como la esperanza es lo último que se pierde, estamos viendo a ver si nos llevan a alguna fábrica de confección a coser capotes de paño.

—La mayoría de nuestras mujeres y niños se volvieron para el pueblo. Al menos allí, estarían con los suyos, libres mientras no los pillara un tricornio hijo de puta, y con hambre, pero en casa. Y muchos se fueron a los campos de trabajo a fabricar cañones para los fascistas: les parecía más seguro para librarse de la guerra y cobrar algo de dinero. Pero muchos más prefirieron seguir la guerra con tal de no volver a España. Se enrolaban en la Legión Extranjera y se los llevaban en barco.

—Ahora ya solo se dedican a torturar a los que quedamos por aquí.

—Bueno, ¿y vosotros? —intervino uno que no había hablado hasta entonces.

Domingo se encogió de hombros.

—Soy dinamitero... Estuve en el Ebro hasta que ya nos replegamos y vinimos hacia aquí a este campo, pero a principios de este año me fui con un cónsul portugués que pasaba por aquí, no te digo que recogiendo gente, pero a una familia de amigos suyos, sí. Fue fácil.

—¿Y tú? —me preguntó.

—Bah, yo... —Resoplé—. Vaya, me pillaron. No hay mucho más.

—¿Cómo que no hay mucho más? —saltó Domingo. Mirándome, añadió—: Aquí donde le veis, Manuel de Sá es el organizador de la primera célula de la Resistencia en la Francia Libre. Allí en Vichy... hasta recuerdo la primera vez que pegó un pasquín que decía viva la Francia Libre en la pared del hotel Du Parc, donde vive el mismísimo Pétain. Sí, señor, aquí el camarada De Sá. Cuando nos detuvieron preparaba un atentado contra Pétain y Laval, el primer ministro, juntos. —Hizo un brusco gesto de asentimiento, como para darse la razón o decir «ahí queda eso». Solo que esta historia era tan palpablemente una invención que me quedé mudo de vergüenza. Abrí mucho los ojos—. Aquí le veis, con su pinta de señorito y su abrigo de cuello de terciopelo. Lo que pasa es que es muy modesto.

Más tarde le recriminaría la sarta de mentiras, pero él me dijo:

—¿Qué quieres? ¿No nos vamos a inventar unos héroes para poder lucir el palmito y que no nos den la lata? Venga, camarada.

—Eso está muy bien, Domingo, pero ¿cómo vamos a salir de esta?

—Pues andando.

—Andando, ¿cómo? ¿Adónde?

—Lo primero es irnos de aquí. Estoy de Argelès hasta la punta del pelo. Vamos a cambiar de aires, amigo.

5

Argel me pareció una ciudad hermosa, marinera, toda de blanco. Desde la cubierta del viejo mercante que nos había traído hasta aquí, la veíamos encaramarse al monte por debajo de pequeños arcos desde los que trepaban escaleras y estrechas callejas encaladas subiendo zoco arriba hasta la casba. Un puerto de mar tan mediterráneo que me recordó a Alicante, a Menton, a Ventimiglia en la Riviera, o incluso a una Marsella en pequeño. Había toda una hilera de edificios altos que daban al frente de mar, resultado del desarrollo urbanístico de la metrópoli impulsado por los colonizadores franceses del siglo anterior; eran casas de varios pisos, cuatro alturas más las azoteas, algo cuarteadas por efecto del sol y el descuido y la suciedad tan típicos de los países árabes de la orilla sur. Como en Alejandría, en El Cairo, en Tánger... llamaban la atención por su poderosa y destartalada belleza. En la dársena se mecían decenas de pequeños botes y *llaüts* de pesca amarrados al muelle o flotando anclados en el agua poco profunda.

Estábamos en marzo de 1941, por un día claro de sol y calor de primavera. A lo largo del paseo marítimo, los naranjos estaban en flor y de las paredes colgaban macizos de buganvilla blanca, naranja y morada.

Un paisaje idílico, tranquilo y amable, sin tanques ni tropas que pudiéramos ver desde la bocana del puerto antes de atracar. Apenas unas tanquetas apostadas frente a los edificios de la administración. Todo normal en apariencia.

Nada que ver con lo que nos esperaba.

Después del trato recibido en Marsella, a grito limpio e insultante de los oficiales franceses que nos obligaban a embarcar tras un breve trámite consistente en firmar un papel por el que nos daban de alta en la Legión Extranjera, la travesía por un mar en calma hasta nos había parecido un viaje de placer.

—Recuérdame por qué nos hemos metido en esta aventura —pregunté a Domingo con malhumor, una vez que pudimos acodarnos a la borda y mirar cómo se alejaba de nosotros Marsella y quedaban a nuestra derecha las islas Frioul y el Château d'If, resecos de roca pelada, asentados sobre un mar color turquesa.

—No quedaba otra, Manolo. ¿Qué querías, que nos volvieran a encerrar, solo que esta vez en un campo de castigo peor que Argelès? No, hombre. Mejor lo desconocido por conocer que esta mierda que dejamos atrás. —Rio con estrépito.

—Es: mejor malo conocido que bueno por conocer...

—Ni hablar: ya sabemos que lo conocido es una mierda tal que nada puede ser peor. De modo que...

—No es eso. Es que con tu habilidad para moverte sin que te vean, nos podríamos haber quedado en Francia, haber vuelto a Les Baux, habernos escondido por un tiempo...

—Las cosas están peor ahora... Y nosotros, sin documentación. Nada, no podíamos hacer nada. Mejor alejarnos y ver por dónde van los tiros. Volveremos pronto. Además, ¿cuánto va a durar esta guerra? ¿Cuántas semanas más? No le doy ni hasta el otoño.

—No sé de dónde sacas tanto optimismo, Domingo.

—Optimismo, ninguno, porque me parece que, por mucho que nos empeñemos, esta guerra la gana el camarada Hitler. Y eso nos tiene que pillar lejos, Manolo. Lejos. Estos hijos de puta van a controlar el continente entero, de Moscú a Lisboa, y van a pasarse por la piedra a todos los que no estén de acuerdo. Rechistas y te mandan al paredón. ¡Si por donde van, reparten mandobles a diestro y siniestro! Lo tienen todo. Hasta los ingleses se van a rendir... —Sacudió la cabeza—. Vienen tiempos malos, amigo.

—Pero ¿y nuestra lucha en la Resistencia? ¿Y eso que llamábamos dignidad, eso que decíamos de luchar hasta el final? ¿Y tus amigos los rusos?

—Pactaron con Hitler y se repartirán Europa.

—¿Y los americanos?

—No quieren saber nada de nosotros. Están muy bien donde están.

—Nada de eso tiene sentido. ¿Tú crees que los ingleses se van a rendir? En junio del año pasado, los alemanes no fueron capaces de invadir Inglaterra a causa de la resistencia numantina con que se toparon... Pero y si todos se rinden, ¿para qué luchamos entonces? ¿Y Marie? ¿Cómo rescatamos a Marie? ¡Por Dios!

—¡Ah! Eso es otra cosa.

—¿Qué es otra cosa?

—Marie. Marie es asunto nuestro. De nadie más.

—¿Sí? Y en vista de que es asunto nuestro, vamos a dejar que Hitler gane y nos aplaste, vamos a dejar a Marie abandonada Dios sabe dónde —exclamé—. No seré yo quien lo haga, no señor. Tengo que volver, ¿no lo entiendes? Pienso volver a buscarla y sacarla de donde esté. La encontraré, ya lo creo que la encontraré.

—¿Y cómo vas a volver?

—Ya me las compondré —contesté secamente.

—No, hombre, qué coño. La encontraremos juntos, tú y yo. Déjame a mí... Volveremos a Francia dentro de unos días y la buscaremos. Te lo prometo.

—Si volvemos a Francia, ¿para qué diablos nos hemos ido?

—Porque nos cazaron, Manuel, y nos embarcaron a punta de pistola. Y ahora en Argel nos van a poner un uniforme de la legión y nos van a devolver para...

—¡Pero si yo no sé hacer de soldado! Nunca he disparado un tiro en la vida. ¡No he matado a nadie en mi vida! ¿Cómo quieren que me meta en una trinchera a pegar tiros? ¿Cómo voy a andar por el desierto con una mochila y un mosquetón? ¡Venga, hombre! Si no puedo ni con el peso. No duro ni un cuarto de hora allá fuera...

—¿Quién dice que vamos a andar por el desierto? Tú déjame a mí, te digo... ¡Coño! Que voy a acabar pareciendo tu niñera. Bah. Te digo que nos van a poner en uniforme y nos van a devolver a Francia a luchar no sé si contra los alemanes o los ingleses o los húngaros o el soviet en pleno. ¿Y yo qué coño sé? —De pronto levantó un dedo—: Solo sé una cosa, fíjate, camarada: desde aquí te digo que tú y yo acabamos de meternos en una guerra nueva.

—Qué guerra nueva. No digas tonterías: no hay más guerra que esta, Domingo.

—Sí que la hay. La tuya y la mía, esa guerra nueva. Nunca he creído en países, en banderas, en patrias. Bueno, he creído en matar fachistas. Pero ¿patrias? ¡Qué patrias ni qué niño muerto! Tú y yo no pertenecemos a ninguna patria, no somos de nadie, de ningún ejército que pelee contra otra gente. Nuestra guerra, Manolo, fíjate bien, eh, es para encontrar a Marie y a tu chacha, la Angelines esa que dices que está muy buena y que no lo sabe todavía, pero que es mi novia desde hoy... Y lo vamos a hacer. Prepárate porque, buscándolas a las dos, vamos a llevarnos por delante a cuanto nazi se nos ponga a tiro, a cuanto fascista, y si es Franco, mejor. Solo que eso de matar nazis es un premio aparte. Tú y yo, a lo nuestro, ¿eh?

Me quedé callado. Sí, a lo nuestro, pensé, ¿y nos van a dejar? Al cabo de un rato, señalando con la barbilla el Château d'If, dije:

—Me siento como el conde de Montecristo...

—¿Quién?

—Uno que estuvo encerrado ahí dentro catorce años hasta que al final logró escapar.

—Catorce años, ¿eh? Yo, ya ves, nos doy catorce días y estaremos de vuelta. ¿Tú sabes lo que es esto de la Legión Extranjera?

—Ni me lo digas —contesté—. Sí que lo sé, sí. Todos los que van a alistarse en la legión son un hatajo de bandidos, asesinos, violadores y ladrones. Da lo mismo porque les cambian el nombre cuando se alistan...

—Hombre, pues pediré que me pongan Domingo Bakunin Durruti...

—... y como no tienen nada que perder y nadie los conoce, pelean bien y matan sin piedad, incluso a los heridos. Son muy burros, pero valientes o no, los oficiales los maltratan a todos por igual. No sé dónde he leído que uno de los castigos es llevar una mochila con veinticinco kilos de piedras dentro...

—Bueno, ¿y?

—Que las cinchas de las mochilas son de alambre y se te clavan en la carne por la espalda y por los hombros. Casi siempre se infectan y hay que arrancarlas después con navaja.

—Al que intente ponerme una mierda así me lo llevo por delante.

—Y muchos son príncipes desencantados o cornudos abandonados por sus mujeres. O enamorados sin esperanza...

—Venga ya. Enamorados sin esperanza, ¿eh? Como tú. —Rio—. Qué mala leche, ¿no?

Hice como que no oía y añadí:

—Hasta hay quien lo ha perdido todo a la ruleta en Montecarlo y mamá, harta, ha dejado de pagarle las deudas de juego.

—Bueno, a uno de esos quiero encontrármelo en una mesa de póquer en el desierto.

Sonreí y luego guardé silencio mirando al horizonte. Me asaltó, como siempre que me dejaba ir, una de las ensoñaciones que me perseguían sin descanso. Las odiaba, pero no quería que desaparecieran dejándome sin aquella tortura tan ansiada y tan malvenida del recuerdo incesante de Marie. Y ahí estaba.

Le había prometido que la llevaría en un crucero, tal vez en un velero, hasta Palestina a visitar a su abuela materna, que era beduina. La primera vez que habíamos hecho el amor en la masía de Les Baux, tumbados luego sobre la cama revuelta, Marie me había hablado de ella, de cómo explicaba que el calor de la tierra palestina y el azúcar de los dátiles y la miel calentaban el cuerpo de sus mujeres. Llevaban, decía, trajes largos y amplios. Iban desnudas por debajo y en los pechos y sobre el vientre habían pintado arabescos de alheña para que sus amantes bebieran en ellos. La visión de Marie desnuda contándome esas cosas, el recuerdo de su voz sensual y algo ronca, me dejaba rendido en la soledad de mi recuerdo. Me resultaba insoportable, me llenaba de dolor e impaciencia, de angustia, darme cuenta una vez más de que no sabía dónde estaba ni qué le estaría pasando. Luego, revivía el relato de su tortura a manos de la Gestapo y me incendiaba de rabia y de impotencia. Me culpaba de todo ello, claro, era culpa mía y no me concedía resquicio para rehuir esa carga, pero eso no quería decir que dejara de lado la pasión de vengarme de Von Neipperg si lo llegaba a encontrar (y lo buscaría, oh, sí que lo buscaría hasta dar con él) o de cualquier otro miserable vestido de uniforme alemán que cayera entre mis manos. ¡Aj!

Por momentos, cuando conseguía conciliar el sueño, Marie se me aparecía en una visión de la que yo no quería despertar: la tenía allí, al alcance de mi mano y de mi boca y, solo cuando estaba a punto de tocarla, la imagen se desvanecía y yo me despertaba con el corazón latiéndome de frustración como si fuera a darme un infarto. A veces me encontraba tan mal que me preguntaba si no estaría a punto de reventárseme una arteria, llevándome a la tumba sin remedio. Y si mi destino era no encontrarla nunca más, ¡qué más me daba!

¡Ah, Marie, Marie!

—Ah, Domingo, en esta guerra tuya y mía particular —dije, alzando la cabeza—, esta que vamos a librar a solas y en la que nos da igual el enemigo que nos toque, hemos quedado en que hay uno, tengo uno que no se libra: todos los alemanes con que me encuentre, además de todos los demás, incluso si el enemigo es el inglés. Qué más me da... Pero déjame al alemán.

—Todo tuyo, camarada, me cago en Dios. ¿No decías que no has matado a nadie en tu vida? ¿Y que no sabrías? Pues con la cara que pones, no tienes pinta de no saber qué hacer con una bayoneta en las manos...

No nos permitieron desembarcar en Argel. Nuestro destino era Orán y el mercante reanudó la travesía en cuanto se hubieron bajado los que tenían permiso para hacerlo.

Al menos había dejado yo de tener frío, ese frío que nos había calado hasta los huesos en Argelès. No había entrado en calor hasta llegar a Marsella y eso solo gracias a que habíamos conseguido entrar en el *hammán* de unos baños árabes cercanos al puerto. Lo conocía de anteriores visitas algo aventureras, cuando utilizaba Marsella como etapa de descanso en mis viajes en automóvil desde la

Costa Azul hacia la Provenza a la busca de una propiedad que comprar. Les Baux, naturalmente.

Conseguimos deslizarnos por la puerta de cristales de los baños sin llamar la atención de las sucesivas parejas de gendarmes con las que nos cruzábamos. Fue un milagro que no nos detuvieran. El vapor ardiente y el masaje a manos de un bestia que tenía los brazos como jamones y parecía hablar solo árabe o turco, yo qué sé, nos hizo sudar copiosamente, al menos a mí, por primera vez en semanas. Al desnudarnos, Domingo se había sorprendido de ver que debajo de la ropa llevaba un segundo cinturón, muy ligero esta vez, con dinero y algunas monedas de oro. Al oficial de Argelès le pasó inadvertido.

Llegamos a Orán temprano por la mañana y tuve la misma sensación que con Argel: una pequeña ciudad marina y blanca, pero más española que la capital, puesto que hasta tiene plaza de toros. Pero, sobre todo, en 1941, albergaba el cuartel general de la Legión Extranjera de Francia, en Sidi Bel Abbès, a unos kilómetros al sur. Allí mandaban a los españoles refugiados de la Guerra Civil que no hubieran querido ir a Alemania a trabajar en Stuttgart, en el Ruhr, en Hamburgo, a hacer cañones.

Hacía dos años que de Sidi Bel Abbès se enviaba a españoles a los campos de internamiento de Argelia. Eran más o menos iguales que los de Francia, los Argelès, los Le Vernet, los Gurs, con la única diferencia de que estaban en el borde del desierto cuando no dentro de él. Pero el trato seguía siendo infernal. A los pobres españoles los metían en unos pomposamente llamados regimientos de trabajadores extranjeros y los mandaban al desierto, a campos como el infame Djelfa o a Hadjerat o a uno llamado Camp Morand, que fue el que más españoles albergó, dicen que cinco mil.

—Camp Morand era el peor —nos contó un marinero español, un tipo listo que había sido comisario político en Valencia durante la Guerra Civil y que había conseguido quedarse en el mercante como tripulante en un momento en que, en medio de la travesía, había muerto un albanés que cargaba carbón en las calderas—. Tuve suerte porque me ahorré desembarcar con los demás y que me mandaran al campo. No le deseo mal a nadie, pero me alegré de que muriera el albanés aquel. Al principio pensaron que había sido una epidemia y todos se cagaron de miedo, pero no. El tipo reventó de cansancio. Yo soy más fuerte. Menos mal...

—¿Qué decías de Camp Morand? —preguntó Domingo.

—Bueno, por alguna gente que consiguió salir de él... A los que estaban allí los mandaban al Sahara, a la construcción del ferrocarril Mediterráneo-Níger, un proyecto abandonado desde el final de la Gran Guerra, pero que han decidido volver a poner en marcha. En Camp Morand, que es donde tienen encerrados a los españoles que trabajan allí, los tratan como esclavos. Trabajan de día con un calor que raja las piedras y de noche duermen al raso con la temperatura a bajo cero. A pan y agua y en alpargatas en medio de la arena y las rocas, rodeados de escorpiones. Han muerto a montones.

—Joder.

—Ya. Una putada. De todos modos, ahora las cosas han cambiado bastante porque han puesto al frente a un tipo cojonudo, el coronel Putz, al que todos quieren como a un padre.

—Pero ¿qué hacen con nosotros? —pregunté.

—Os dan instrucción, patatas y mucho sol. Y luego os devuelven a Francia, a Vichy, no se sabe muy bien a qué. Porque desde la derrota del cuarenta ya no estamos en guerra con Alemania. Ya no sé ni con quiénes estamos peleados. Al principio, en el treinta y nueve, no, en la primavera del cuarenta, cuando el gobierno francés aún no se había rendido, mandaron a la Legión Extranjera a Noruega a combatir contra los alemanes, que la habían invadido. Fue una escabechina, pero los legionarios junto con los ingleses acabaron tomando Narvik, el puerto del norte del todo.

—¿Y qué se nos había perdido en Narvik? —insistí.

—No tengo ni idea. El caso es que, nada más tomarlo, Hitler invadió Francia, los franchutes se rindieron con Pétain a la cabeza y toda la fuerza expedicionaria de la legión se dio la vuelta y se volvió para Francia...

—Pues no quiero ni pensar en lo que sentirían los legionarios.

—Sí —dijo Domingo—, un día te hostias con unos enemigos y al día siguiente ya son amigos. Se te debe de poner una cara de tonto...

—¿Y qué ha sido de los legionarios españoles?

—Ah, no sé. Por ahí andarán como almas en pena, en campos de concentración en Alemania o como trabajadores en la industria de guerra, ¿sabes?, eran miles y miles...

En Orán nos desembarcaron sin contemplaciones y nos concentraron en el puerto esperando la llegada de unos camiones que nos conducirían a Sidi Bel Abbès.

Una vez allí, nos llevaron a una gran extensión de terreno rodeado por un rectángulo de cuarteles, cada uno un edificio de varias plantas. Seríamos unos cien españoles y algo menos de la mitad entre alemanes, albaneses, húngaros y, me parece, hasta algún suizo. En medio del terreno había un monumento a la legión, una enorme bola del mundo en hierro fundido y dos legionarios también de hierro, uno a cada lado, en actitud belicosa.

—¿Cuáles crees tú que son los condes? —me preguntó Domingo.

—¿Quiénes?

—Bueno, los príncipes arruinados en el casino de Montecarlo.

Me reí.

—Bueno, aquel larguirucho con cara de pingüino tiene que ser uno...

—Tiene más pinta de cornudo que de apostador a la ruleta.

—No, no: ruleta, lo que yo te diga.

—Quiá: cornudo, ¿no ves la cara que se le ha quedado?

Nos hicieron formar en el patio aquel y un oficial, un capitán, me pareció, nos propinó una larga arenga en francés, que solo unos pocos comprendíamos, para explicarnos que habíamos llegado a la Legión Extranjera francesa en la que nos habíamos enrolado para formarnos inmediatamente en los valores de valentía, caballerosidad, constancia y algunas tonterías más que escondían promesas de rigores, sufrimientos, muerte, marchas interminables, poca agua y bazofia. El que traicionara cualquiera de estos valores sería severamente castigado.

Al lado del capitán había otro oficial de aspecto más distinguido. Se adelantó y se dirigió a nosotros con tono apacible:

—Legionarios, soy el almirante Miguel Buiza...

—¡Coño! —dijo Domingo en voz baja—. Le conozco, ya sé quién es.

—... Aquí, para vosotros, soy el capitán Buiza de la Legión Extranjera. El coronel jefe de la legión en Sidi Bel Abbès me ha puesto al mando del componente español. De modo que os doy la bienvenida con la esperanza de que el tiempo que pasemos de instrucción os sea provechoso en el aprendizaje de la guerra del desierto. De este modo, espero que pronto entremos en combate. ¡Rompan filas!

Mientras nos íbamos acercando para saludarlo uno a uno con el respeto instintivo que suscitaba en nosotros su presencia, Domingo me fue explicando:

—Buiza es un tío al que todos los que estuvimos en la Guerra Civil respetamos como si fuera nuestro padre. Es un marino de guerra, capitán de corbeta o así, que fue nombrado almirante jefe de la flota de la República. Se paseaba por los mares en el crucero *Libertad* haciendo huir a los fascistas de Franco. Al final de la guerra, así me lo contaron en Argelès, salió de Cartagena con la flota republicana y se la llevó a Bizerta para que no pudieran echarle el guante los facciosos. No sirvió de nada porque los franceses se la entregaron a Franco poco después.

—Dios los cría y ellos se juntan —sentencié.

—Ya.

Ante la mirada irónica o burlona de legionarios veteranos, que, apoyados negligentemente contra las paredes y en los quicios de las puertas de los cuarteles, fumaban o bebían unos cerveza y otros agua del mismo tipo de botellas de vidrio, fuimos tallados e identificados por nuestros nombres falsos después de presentarnos al almirante. Luego nos entregaron uniformes, botas, mantas y el célebre *képi*, la gorra de plato del ejército francés, solo que en este caso era blanca. Colores del desierto, supongo.

Por fin nos asignaron litera en un enorme dormitorio de techos altos en el que cabrían con facilidad unos cincuenta legionarios.

Dejamos los petates, nos endosamos los uniformes, pantalón corto para empezar, que nos habían entregado, y ya de anochecida, bajamos al patio a esperar al rancho que nos habían prometido. Al final, la espera no valía la pena.

De pie, mirábamos a nuestro alrededor sin saber muy bien qué hacer, hasta que se nos acercaron unos cuantos veteranos.

—Sois de los españoles, ¿no? —preguntó uno en español.

—Sí —contesté.

—¿De dónde?

—Sabadell —dijo Domingo.

—Madrid —dije yo—, pero en realidad soy de Vigo.

—Yo *zoy cordobé* —dijo otro más.

—Y yo de Madrid también.

—Yo de Badajoz, que salí huyendo de los moros de Franco antes de que nos pasaran a todos por las armas en el treinta y seis. Me fui a Barcelona, a la columna Durruti.

—Mira, un camarada —exclamó Domingo.

—Soy inglés —terció otro más. Hablaba con un fuerte acento. Era espigado, pelirrojo y tenía la cara y los brazos llenos de pecas.

—Mira, este debe de ser duque o príncipe de los de Mónaco —dijo Domingo riendo.

—Me llamo John y no comprendo qué dices.

—Nada, una broma, camarada.

—Yo fui a Madrid con las Brigadas Internacionales y llegué en noviembre del treinta y seis —añadió el tal John. Tenía aire de estar perdido entre tanto español. Me cayó bien.

—No hace falta que jures lo que eres —volvió a decir Domingo—. Eres rojo.

—Oye —pregunté cuando todos dejamos de reír—, ¿qué hacemos aquí?

—Buena pregunta. No tenemos ni idea. Al principio nos daban instrucción, nos llevaban como putas por rastrojo, nos metían en campos de castigo con piojos y garrapatas y a los que sobrevivíamos nos maltrataban como si fuéramos de la peor calaña de delincuentes. *Espagnols*, nos decían, sois carne de cañón y os vamos a hundir en las trincheras para que os coman las ratas... Nos metían entre alambradas obligándonos a andar sin descanso,

vuelta y vuelta y vuelta sin parar, sin comer, casi sin beber. Si te descuidabas o te caías, entraban unos y te sacudían con un látigo. Hasta que vino Buiza y la cosa mejoró.

—Joder.

—Sí. Fue horroroso. Los que quedamos, nosotros,
quiero decir, estamos vivos de milagro.

—Sí —añadió otro, un moreno renegrido y mal enca-
rado que olía poderosamente a sudor—. A unos los llevaron al desierto a picar piedra y a otros los embarcaron
para Francia, hale, a hacer la guerra. Hijos de puta, nos
llamaban, a morir como cerdos. Nos llevaron, a mí y a
este y a aquellos dos, para Noruega, a Narvik. No se nos
va a olvidar, no. Nosotros cuatro íbamos en una compañía de doscientos cincuenta.

—¿Y cuántos salvasteis el pellejo?

—Nosotros cuatro, no te jode.

—La cota 220 en medio de la nieve en el asalto a Narvik.
No se me va a olvidar. Solo quedamos nosotros cuatro y
Gayoso, aquel que va por allí. Él solito se cargó el último
nido de ametralladoras alemanas. Sí señor. Le han dado
la medalla militar. Menudos huevos tiene. Después de él,
empezaron a tratarnos mejor; ya casi no había campos de
castigo ni marchas forzadas por el desierto ni latigazos ni
muertos de hambre.

—¿Qué pasó? —pregunté.

—Pues que a los que quedábamos, los que íbamos en
la 13ª media brigada de la legión, lo que estos llaman la
13 DeBLE, nos devolvieron aquí y ahora no saben muy
bien qué hacer con nosotros. Unos cuantos pudieron irse
a Dakar y, que sepamos, se enrolaron en la 14ª media brigada que ya estaba a las órdenes de De Gaulle. Allí el que
manda es el coronel Leclerc, un tío cojo de un accidente,
que siempre se apoya en un bastón y que también tiene
más huevos que el caballo de Espartero.

—Sí. A nosotros nos pilló tarde y aquí estamos...

—... Con las mismas ganas de acabar con todos los hijos de puta y sacarlos a tortas del desierto.

—Bueno, ya llegará.

—El caso es que, de repente, han descubierto que no somos unos miserables, sino un montón de soldados con experiencia. Estos no saben lo que es una guerra y, menos aún, una guerra como la nuestra...

—Ya.

—Tú, Sabadell, ¿dónde estuviste?

—Primero en la columna Durruti, en el frente de Aragón, y luego en el Ebro.

—¿Qué se te da bien?

—Soy dinamitero. Y me llamo Domingo.

—Te llamaremos Sabadell porque aquí nadie tiene nombre. ¿Y tú? —dijo mirándome.

Levanté una mano, pero Domingo no me dejó contestar. Me miró frunciendo el ceño:

—Este estuvo en el cerco de Bilbao y en Guernika.

Los demás dieron un silbido.

—Caray.

—Al final consiguió escapar por mar en el último barco que salió de la ría y pudo llegar a Francia.

—¿Qué pasa? ¿Te ha comido la lengua el gato?

Me encogí de hombros.

—Es que no me gusta hablar, ¿eh, tú?

Domingo me guiñó un ojo.

—Te llamaremos Mudo.

6

Una tarde, una de las pocas que disfrutamos a solas Marie y yo frente al mar, al principio del último otoño, el de 1940, paseamos por la playa de Les-Saintes-Maries-de-la-Mer. El tiempo era maravilloso, no corría viento allí donde generalmente el mistral levanta la arena y la lanza contra las piernas y los ojos como dolorosas puñaladas. El Mediterráneo estaba en calma y el sol brillaba con destellos de luz cegadora sobre las ondas que se enroscaban hasta llegar a morir suavemente en la playa.

Estábamos solos. Habíamos salido de Les Baux apenas un par de horas antes y nos habíamos detenido en uno de los chiringuitos de Les-Saintes-Maries a comer una bullabesa llena de alioli.

Después, nos habíamos puesto a andar mano en mano para alejarnos del pueblo por el borde del mar. Atrás quedaban las carretas de los gitanos, los chiquillos correteando, las viejas bordando sus manteles y un grupo de pescadores que remendaban sus redes. Allá lejos, en el centro del pueblo, se erguía la iglesia parroquial, una especie de templo-fortaleza cuyo campanario se divisa quebrando el horizonte, rompiendo el aire andaluz de la Camarga.

Era feliz. Había conseguido olvidar que esto no duraba para siempre y hasta estaba convencido de que no me iba a tener que separar de Marie nunca más.

Escondida detrás de una duna, Marie se giró hacia el mar. Estuvo un rato así, quieta, y luego se dejó caer en la arena. La falda de su camisero se le deslizó por las piernas y sus muslos quedaron al descubierto. No llevaba ropa por debajo del vestido, solo una enagua. Riendo al ver mi cara, tiró de la falda hacia arriba para que pudiera ver todo su vientre desnudo, sus ingles tostadas y la curva perfecta de sus nalgas.

Me senté de golpe a su lado, boquiabierto.

—Hueles a ajo —me dijo.

—Ya. Y tú.

—Depende de lo que quieras oler. ¿Qué quieres oler?

—Si te lo digo, me detienen...

—... Por pornógrafo, lo sé. Ven, vamos a nadar. —Me agarró de la mano y, con aire de súplica, dijo—: ¿Quieres? ¿Por favor? Si vienes conmigo, haré que te desmayes debajo del agua... como hacía mi abuela la beduina.

Se puso en pie de un salto y, con el mismo movimiento fluido, se desabrochó el cinturón del camisero y los cinco botones que lo mantenían cerrado. Un gesto de los hombros le despojó del vestido y uno de la mano, de la enagua. Totalmente desnuda, corrió hacia el mar y se zambulló en él.

—¡Está buena! —gritó—. ¡Ven! ¡Corre!

Entré en el agua de un salto y pegué un grito:

—¡A cualquier cosa le llamas tú buena! Está helada.

—Qué va. Ven, corre. Ven, anda, ven, pégate a mí, que te haré entrar en calor...

Me pareció imposible, pero allí mismo hicimos el amor, metidos en el agua hasta el cuello, tensos, estiradas las cabezas, asaltándonos a mordiscos, mezclando nuestras salivas hasta que se hicieron tan saladas como el mar, disolviéndonos por fin en un orgasmo interminable. Y, dobladas las rodillas, nos dejamos ir, abandonados al ritmo de las olas que nos mecían delicadamente.

Había bajado la temperatura. Al salir del agua, temblábamos de frío los dos, como presas del baile de San

Vito. Nos vestimos deprisa robándonos besos mientras lo hacíamos y riendo a carcajadas como dos chiquillos traviesos. A Marie se le transparentaba el cuerpo por debajo del camisero empapado.

—Te van a detener.

—Me esconderé detrás de la tapia de la iglesia hasta que vengas a buscarme en tu auto.

—Pero...

—A esta hora los niños han vuelto a sus casas. No te preocupes. Y si me detienen, me tendrás que venir a buscar a la cárcel... Será muy romántico. —Rio su risa cantarina—. Pero date prisa, que me congelo.

Oh, Dios mío. Y pensar que pocas semanas después, esta mujer tan enamorada, tan llena de mí, me había rechazado llorando de dolor por no haberla entregado a los nazis, por haberme negado al sacrificio de salvar a Philippa von Hallen a costa de su vida.

No aceptaba que pudiera darse una injusticia semejante, sobre todo que no tuviera remedio ni marcha atrás. Por momentos me parecía que la recuperación del pasado tenía que ser posible, una segunda oportunidad de revivir lo ocurrido y corregir los errores cometidos. ¿No era lógico que un ser humano racional, al darse cuenta de sus equivocaciones, de los pasos dados en falso, tuviera ocasión de enmendarlos? Para eso éramos gente de discurso lógico: un discurso lógico debe permitir la enmienda. Si no, ¿a qué viene poder pensar en las cosas, ser consciente del pasado y tener derecho a un futuro?

Supongo que el dolor infinito engendra estos monstruos de la locura.

De la noche a la mañana me había quedado sin Marie y mi vida perdía toda su razón de ser. Sentado en un mísero cuartel de la Legión Extranjera en Sidi Bel Abbès, ¿qué más podía darme lo que ocurriera a mi alrededor, una guerra luchada a sangre y fuego por unos militares estúpidos y cobardes, un enemigo siniestro, tanta muerte y sufrimiento, si entre todos me habían arrebatado lo único que me interesaba?

Como decía Domingo, mi guerra no era esa, mi guerra era Marie.

7

Todos hablábamos continuamente de la guerra sin verla. Ni un solo disparo, salvo los de fogueo, ni un solo cañonazo, salvo los de las maniobras en las que nos entrenábamos a diario. Nada. Estábamos encerrados en Sidi Bel Abbès dando vueltas en un círculo vicioso del que no conseguíamos salir. Pasábamos calor y frío, sed y hambre, pulgas y piojos. Y vuelta a empezar. Marchábamos por el desierto y nos castigaban o nos premiaban, aunque los premios fueran una estupidez, como la propina que se da a un pobre y que el pobre agradece de corazón. Nuestro estado de ánimo era de humillación y rabia. Y de postración indiferente, aunque no sea fácil comprender cómo los tres sentimientos podían ir juntos. Pues eran compatibles.

Para nosotros, la guerra allá lejos era un fenómeno cotidiano pero artificial, casi ficticio, en el que los muertos se contaban por centenares de miles, igual que si hubieran sido millones o apenas unas decenas, qué más daba: eran números desprendidos sin más significado que el contable. La destrucción parecía universal (y más cuando supimos del ataque de los japoneses contra Pearl Harbour en diciembre de aquel año) y el final solo podía ser predicho por los más optimistas. Y eso sin contar con cuál habría sido el optimismo necesario para creer en la victoria de los buenos.

La Navidad del cuarenta y uno llegó y pasó y la rutina siguió inalterable. Toda nuestra vida era una repetición de actos cotidianos llenos de monotonía: una monumental frustración. No nos importaba ya el curso de las batallas, quién las ganaba y quién las iba perdiendo. Nos dejaba indiferentes el recuento de las atrocidades. Nos parecía que a los oficiales tampoco les importaba lo que ocurría en los campos de batalla. Como consecuencia de ello, poco a poco, en el cuartel de la legión de Sidi Bel Abbès, la disciplina, los castigos, la violencia se fueron relajando, al menos para los españoles, juntos todos en un solo batallón. Pero ni eso me consolaba. Solo me interesaba el momento del regreso a Francia. La incertidumbre, la angustia me eran insoportables porque no podía averiguar, por más que quisiera, lo que estaba pasando con Marie, dónde se encontraba y si, por Dios, seguía con vida. Encerrados en aquel infierno al borde del desierto, no teníamos modo de saber nada. Por no saber, ni siquiera sabíamos en qué bando estábamos encuadrados ni para quién luchábamos.

—¿No decías que volveríamos a Francia al cabo de un par de semanas? ¿Qué hacemos aquí, Domingo?

—Aguantar hasta que llegue nuestra oportunidad, Manolo. Por el momento estamos en el quinto carajo, perdidos en el puto desierto y no tenemos modo de cruzar el charco. Pero llegará.

Y la oportunidad nos llegó de la manera más absurda. Luego dicen que Dios escribe con renglones torcidos. Vaya.

Alguna vez, de Pascuas a Ramos, a los españoles nos daban permiso para subir a Orán desde Sidi, ochenta kilómetros de carretera infecta en un camión atroz. Íbamos a emborracharnos, a darnos un baño en el mar o en un *hammán*, a visitar una casa de putas o a comer algo que mejorara nuestra dieta cuartelera. Apenas unas horas después teníamos que presentarnos puntualmente en el puerto para subirnos al camión que nos llevaría de vuelta al cuartel. La falta de puntualidad era muy castigada y no digamos si podía considerarse deserción. Quedarse a dormir la mona en brazos de una de aquellas mujeres o simplemente en un banco de la plaza del Ayuntamiento provocaba una represalia inmediata e insoportable: días enteros en una jaula al sol, jornadas picando piedras en el desierto casi sin agua que beber, marchas interminables cargados con mosquetones, mochilas de cincuenta kilos de peso y, para mayor ironía, mantas de lana de carnero maloliente. Es verdad que a los españoles nos respetaban más, pero la disciplina era la disciplina y no se hacían excepciones. Bastante era que nos dejaran bajar hasta Orán a cambiar de aires.

—A cualquier cosa le llamas tú cambiar de aires —decía Domingo, riendo.

—Yo no voy a casas de putas —contestaba yo.

—Venga, Mudo, en algún momento tienes que descargar.

—No le digáis nada, que este está casado y es fiel. No quiere líos. Imaginaos que vuelve a casa con unas purgaciones o con ladillas. ¿Cómo se lo cuenta a su mujer? Esa fiera le rebana la tranca...

Todos reían de buena gana y nadie insistía. Claro que la camaradería entre los españoles era muy buena, no solo a la hora de la diversión, sino en momentos graves de disciplina o de desacuerdo con los oficiales, frente a los que nuestra solidaridad era instantánea y agresiva. Esa solidaridad nos vino muy bien después, en la batalla. Era típico que los oficiales no quisieran mandar nuestro batallón porque aseguraban que éramos muy bestias e indisciplinados. Solo uno, el capitán Dronne, aceptó ponerse al mando: había comprendido que los españoles, curtidos como estábamos en mil guerras, no aceptábamos órdenes a la ligera. Tenían que convencernos, explicar de lo que se trataba. Y una vez que lo habíamos comprendido y admitido, sabían que éramos unos soldados muy disciplinados, muy rápidos, muy valientes (menos yo, claro) y que, puestos a luchar, éramos como perros de presa. A ningún mando se le ocurría montar una operación a la ligera o mandarnos al matadero sin que nos explicaran antes las razones tácticas para ello; éramos una tropa incómoda pero terriblemente eficaz. Los anarquistas del Ebro eran así. Cuando lo comprendí, le dije a Domingo: «A nosotros no nos mandan a Gallipoli». «¿Qué es eso?». «Nada, una matanza idiota de la primera guerra. Murieron por miles para nada». «Mira que sabes cosas, cabrón».

En Orán, durante los permisos, cada cual iba a lo suyo. Yo solía sentarme en un bar del puerto cerca de la lonja y, mientras me preparaban algo de comer, un cuscús de pescado por lo general, aprovechaba para leer un periódico atrasado traído de Marsella. También bebía una jarra de medio litro de vino argelino no apto para estómagos delicados. Antes de comer iba al *hammán* a darme un buen baño para quitarme la porquería y las pulgas y relajar los músculos doloridos, que buena falta hacía.

Uno de aquellos días un muchacho muy joven se acercó a la mesa que yo ocupaba en la terraza del bar. En las manos traía una caja de madera llena de calamares.

—¿Quieres calamares? —me dijo en muy mal francés.

—¿Eres español, chaval? —le pregunté en castellano.

—Sí —contestó enseguida con una sonrisa de oreja a oreja.

—Hombre, chico, te voy a comprar un par de calamares, para que los frían aquí, ¿eh?

—Bueno.

—¿De dónde eres?

—De Almería.

—¿Y estás solo en Orán?

—No, qué va. Está toda mi familia. Se vinieron en 1930 y por eso conseguimos que los de aquí nos dejaran en paz, no como a los refugiados de la Guerra Civil. Hombre, es duro ganarse el pan, porque los de Orán, hasta los españoles viejos, nos prohíben pescar por aquí. Todo para ellos... Tenemos que irnos lejos para faenar...

—¿Cómo te llamas?

—Daniel, me llamo Daniel.

—Y no os dejan, ¿eh?

—No, mi capitán.

—No soy capitán, soy solo legionario.

Daniel se encogió de hombros.

—Bueno. —Estuvo callado durante un momento y luego añadió—: El alcalde de Orán es cura y es de Pétain.

—Pues vaya un doblete.

—Sí. Es un hijoputa. Cuando hace dos o tres años vinieron los españoles huyendo de la guerra, los encerraban según iban llegando y los mandaban a campos en el desierto. Los trataban muy mal. Murieron muchos. Todavía hay muchos en los campos, encerrados. A vosotros os tienen miedo.

—¿Miedo? ¿Por qué?

—Dice mi padre que porque sois soldados duros y habéis peleado en Francia y en Noruega y en Inglaterra... No solo en España.

—Oye, Daniel, cuando volvamos a bajar la semana que viene o la otra, tráete un cajón de pescado, no solo calamares, y nos lo comeremos entre todos los que vengamos, que seremos diez o doce.

—Bueno.

—Y dile a tu padre que lo quiero conocer. Que se venga también.

—Bueno.

A principios de septiembre del cuarenta y dos, los legionarios españoles de Sidi Bel Abbès estábamos cada vez más desmoralizados. No le veíamos salida alguna a la situación en la que nos encontrábamos: encerrados en los cuarteles, sin ir ni atrás ni adelante, ignorando cuándo nos llevarían a Francia a lo que Domingo y yo habíamos bautizado como la «Guerra Marie».

Cada poco nos acercábamos a preguntar al teniente cómo iba la guerra en Europa y si ya sabía cuándo emprenderíamos viaje para ir a pelear allá. Siempre contestaba lo mismo: «Cuando sea oportuno y lo ordenen nuestros jefes y no me toquéis los cojones, que os meto en el tostadero», lo que quería decir que no tenía ni idea. Incluso nos llevaron a Casablanca por unas semanas para ir preparando la resistencia a un desembarco que, se rumoreaba, estaba a punto de producirse en la costa marroquí. Nadie sabía en realidad quién iba a desembarcar ni cómo ni con cuánta fuerza. Pronto volvimos a Sidi.

Cuando recuerdo la desesperación de aquellos meses, la infinita lentitud con la que pasaban las horas, los días de maniobras estériles, el polvo, la arena, el calor, aún se me contrae el estómago y revivo la sensación de impaciencia rabiosa. Una sola ventaja: aprendí a conducir camiones e incluso tanques. «Claro —decía Domingo—, como el señorito es el único que lleva un Bugatti para ir a cenar al casino de Montecarlo, le sientan en un tanque y, hale, a hacer carreras por la playa».

Un par de sábados después de que Daniel se acercara a hablarme, convencí a todos los que subíamos juntos a la ciudad, no más de una docena de compañeros, todos españoles más John el Brigadas, para que se vinieran conmigo al chiringuito a comer pescado y a beber vino. «¡Pero si no hay nada que comer! ¡Y el pescado que dan es una mierda medio podrida y salada que hay que disimular con cuscús para que se la pueda uno tragar, hombre!», me dijeron. «Vosotros hacedme caso, que os invito».

Estábamos a finales de septiembre y aún hacía mucho calor.

Nos sentamos todos a un par de mesas que juntamos en la terraza debajo del emparrado y pedimos vino y gaseosa. Enseguida nos trajeron cuatro botellas del vino local y otras tantas de gaseosa.

No habían pasado ni cinco minutos cuando se presentaron Daniel y su padre, un hombre de unos cuarenta años, arrugado, bajo y enjuto, de piel muy morena. En equilibrio en la cabeza, Daniel llevaba un cajón lleno de pescado fresco.

—Es mi padre —dijo, bajando el cajón hasta la mesa.

—No me jodas, niño —dijo uno de los compañeros—. ¿Y este pescado? ¿De dónde sale?

—Lo hemos cogido esta mañana y nos hemos venido en la carreta —contestó Daniel, señalando un carro tirado por un burro, quieto en la puerta del bar.

—Le dije a Daniel que trajera pescado para freírlo y a su padre para que habláramos con él.

—Buenos días a todos.

—¡Hombre, mira, un paisano! —exclamó uno al que llamábamos Pirata—. No se nos borra el acento, ¿eh? ¿De dónde eres?

—De donde la playa San Miguel.

—¡Anda! Pues yo vivo en la calle Aragón. Somos de al lado, compañero.

—Pues sí.

—¿Y tu gracia?

—Antonio, para serviros.

—Venga, Antonio, siéntate aquí y tómate un vino. Y tú, niño —añadió el Pirata dirigiéndose a Daniel—, llévate todo esto a la cocina, que nos lo frían y a ver si nos encuentran unas papas para freírlas también. Y no te despegues del cocinero, que queremos comer este pescado y no otra cosa.

—Bueno, Antonio —dije yo—, cuéntanos cómo va la guerra esta, que, metidos en el cuartel, estamos que no nos enteramos.

—Bueno, no tengo ni idea. Yo no me meto en esas cosas, que quiero tener la vida en paz...

—Os lo voy a contar yo —interrumpió asomándose desde la puerta de salida a la terraza un hombre inmensamente gordo y sucio; llevaba un fez en la cabeza y vestía una chaqueta que había sido blanca en una anterior vida, una camisa que parecía írsele a estallar a la altura del estómago y una corbata estrecha, más trapo que corbata, llena de lamparones. Le relucían las mejillas y la sotabarba de sudor y afeitado reciente.

—¿Y tú quién eres? —preguntó el Pirata. Un par de nuestros compañeros se pusieron repentinamente en tensión y apoyaron los antebrazos sobre la mesa en señal de amenaza.

—Joseph Ben Ali, a vuestro servicio, editorialista del *Courrier d'Oran.* —Sin pedir permiso, se sentó en una silla, que crujió como si fuera a desintegrarse. Sonreía—. ¿Puedo? —Señaló un vaso, lo cogió y se sirvió vino. Los demás me miraron como si me pidieran la venia. En los meses trascurridos desde nuestra llegada a Sidi Bel Abbès, todos los de la compañía habían decidido que yo era el hombre de letras allí y me consultaban las cosas de intelectualidad, fuera lo que fuere su concepto de intelectualidad.

Asentí.

—Sí, hombre, tómese un vino y cuéntenos cómo va la guerra aquí fuera.

—Es sencillo de explicar: casi toda esta costa desde Casablanca a Argel está en manos de los franceses de Pétain. Nada que hacer y vosotros, que sois la legión, deberíais saberlo, ¿no? —Se encogió de hombros.

—¿Y qué hacemos aquí entonces?

—Nada. Los que lo vemos desde fuera, pensamos que estáis de vacaciones y que solo os tienen aquí por si las moscas.

—Vaya mierda —dijo Domingo.

—Por si las moscas, ¿qué?

—Por si hay un desembarco inglés en esta costa... Aunque los ingleses me parece que no serán, después de lo de Mers el Kébir.

—¿Mers el qué? —preguntó uno al que conocíamos como Calamar.

—No seas burro, Calamar —contestó otro, apodado el Minas—. En Mers el Kébir fue donde los ingleses bombardearon la flota francesa en julio del cuarenta. Los franceses murieron como chinches y no les quedaron ganas de darse de besos con nadie... De modo que tú, John Brigadas, casi ni te acerques.

Reímos. John se puso muy colorado.

—Lo siento, *I'm sorry*, lo siento.

—No pidas perdón, que no es culpa tuya, joder. —Domingo, que se sentaba a su lado, le dio una palmadita en el hombro.

—O sea —insistí— que, si estamos de vacaciones en Sidi, de cruzar a Francia...

—Nada de nada.

—Eso —interrumpió Antonio—. Ahora, eso sí, un poquito más abajo están los campos de Bou Arfa y Djidjelli llenos de españoles refugiados que las están pasando putas. Encerrados, tratados a patadas. Sin comer. Nada, un horror. Algún día vais a tener que ir a abrirles las puertas y dejar que se escapen, ¿eh? Digo yo, vamos.

—No está siendo el momento más preclaro de la honra de Francia —intervino Ben Ali.

—Pues sí, desde luego, pero y eso de abrirles las puertas a los compañeros, ¿cómo se hace? —preguntó Domingo—.

Porque si vamos a pegar tiros, venga, pero harán falta además camiones, gasolina y cargarse al capitán.

—¿A Buiza?

—No, hombre, al otro, al francés.

—Porque si nos vamos a liberar a los compatriotas, no podemos volver. Nos acusarán de deserción. Qué va, no. Nos tenemos que ir con ellos.

—¿Adónde?

—Eso digo yo.

—Tal como lo vemos aquí en Orán —dijo Joseph Ben Ali—, las cosas están empezando a moverse. En Túnez están los alemanes que les zurran la badana a los ingleses. En el resto de la costa hasta Marruecos, los franceses, jodidos porque no solo se les viene encima un desembarco de los americanos, vamos, digo yo que serán los americanos, sino que además los de la Francia Libre, ya sabéis, De Gaulle y tal, están consiguiendo convencer a los de Pétain de que cuelguen las armas y se vayan con ellos.

—¿Y para cuándo será el desembarco ese de que hablas?

—Pensamos que pronto —contestó Ben Ali con algo de suficiencia.

Me incliné hacia Domingo y le soplé al oído:

—Igual nos enganchamos a los americanos y cruzamos con ellos hasta Francia, ¿eh?

—¡Dale! Tal como eres, Manolo, capaz que te vas a un general de Nueva York y le pides un pasaje para Marsella, pero en primera clase. Ya iremos, hombre. Tú, tranquilo. —¿Y cómo iba yo a estar tranquilo si no pensaba en otra cosa y en la frustración que me provocaba?

En ese momento salieron a la terraza dos camareros, seguidos de un Daniel con cara de triunfo. Traían dos grandes bandejas cada uno llenas hasta arriba de pescado frito y patatas.

—¡Más vino! ¡Más gaseosa! —exclamó alguien.

Mes y medio más tarde, exactamente el 8 de noviembre de 1942, Dios mío, casi un año ya después que hubiéramos llegado a Orán, los americanos desembarcaron allí mismo, a dos pasos de la playa. Fue, lo recuerdo bien, una operación combinada merced a la que desembarcaron casi simultáneamente, con un par de días de diferencia, en Casablanca, Orán, Argel y en la costa norte de Túnez. Los alemanes y los franceses de Vichy resistieron en Casablanca y hubo muchos muertos. En los otros tres sitios, en cambio, la operación se hizo sigilosamente y, cuando los franceses se quisieron dar cuenta, ya tenían a los americanos en la playa.

Nunca supimos muy bien lo que había pasado, pero los franceses, legión incluida, se pasaron a los aliados con armas y bagajes en menos que canta un gallo. Creo que los españoles fuimos quienes más presión ejercimos. Para entonces, ya habíamos oído hablar, aunque de manera muy vaga, simples rumores poco creíbles, del coronel Leclerc y de sus gestas por el desierto del Chad y de Libia (y de los españoles que iban con él) y lo que casi todos queríamos era unirnos a él. Tantas ganas teníamos de hacerlo que hubo muchas deserciones en el cuartel general de la legión en Sidi Bel Abbès. Ayudados por Antonio, Daniel y su familia, salimos de noche por un vallado trasero, anduvimos un par de kilómetros y allí nos esperaban unos camiones desde los que unos oficiales americanos, todos hablando español (creo que eran mexicanos y portorriqueños enviados aposta para que pudiéramos entendernos), hicieron que nos quitáramos el uniforme legionario y nos pusiéramos uno americano. Claro, todo lo que fuera quitarnos del ejército francés y sumarnos al de los aliados era bueno a la fuerza. Nos dieron nombres supuestos, incluso al almirante Buiza, para cambiar el falso que ya traíamos (a mí me bautizaron como Manolo el Nuncio por haber sido diplomático español en una vida pasada, antes de nacionalizarme francés, espantado por la que se estaba organizando en España tras la llegada de la República; qué ironía, me fui de mi país huyendo de la barbarie y acabé en Francia padeciéndola de nuevo y esta vez sin remedio), y nos llevaron a un campamento a unos diez o veinte kilómetros. Allí nos alimentaron con unas raciones de guerra que estaban para chuparse los dedos y nos alojaron en grandes tiendas de campaña equipadas con unas literas bastante más cómodas que los camastros del cuartel. Antes de dormir, nos dieron un par de cajetillas de Lucky Strike a cada uno.

—¿Ves? —me dijo Domingo—. Ya hemos empezado a volver.

8

Llegamos a Túnez a finales de noviembre del cuarenta y dos, tras recorrer mil kilómetros de pistas por el desierto.

En la caravana, yo conducía un gigantesco camión americano cargado de compañeros. Además, tirábamos de un remolque enorme de ocho ruedas lleno de material militar cubierto por una gran lona de color ocre. En el año de entrenamiento, me había convertido, en efecto, en un conductor avezado aunque no estaba muy seguro de para qué me valdrían las jornadas invertidas en el resbaladizo suelo de arena por el que transitábamos y encaramado además a un monstruo de diez toneladas.

Durante larguísimos trechos del viaje, circulamos por la parte baja de kilométricas dunas, que, en una ensoñación febril inducida por la monotonía y el sol, se me antojaban el dorso suave de interminables ballenas o las aletas cimbreantes de peces mitológicos, de morenas, tal vez. Me parece que las horas de conducción, el contraste de colores y la luz vivísima del desierto me provocaban espejismos y hasta instantes de locura, ocre, blanco, azul, ocre, blanco, azul. Murmuraba imprecaciones y sacudía la cabeza de un lado a otro para alejar a los fantasmas, mientras Domingo me miraba alarmado.

Pero no había modo de escapar. El paisaje era siempre el mismo y no dejaba resquicio para la huida: legua tras legua alcanzaba el mismo horizonte, una y otra vez, para hundirse en él con ráfagas continuas de luz y sombra.

Y una y otra vez reaparecía incambiado, igual al de un momento antes. No había puntos de referencia, ni un árbol ni una rama seca ni un bloque de arenisca congelada, y yo sabía que si llegáramos a desviarnos del camino que el oficial del primer camión marcaba siguiendo su brújula, nos perderíamos irremisiblemente y para siempre. Peor que en un naufragio en el océano lejos de cualquier costa.

Si salía con vida de esta, decidí, no volvería a pisar un desierto. Nunca más.

En realidad, en los primeros meses de nuestra llegada a Túnez ni siquiera alcanzamos Bizerta, a un centenar de kilómetros al norte de la capital, porque en ambos sitios estaba el mariscal Rommel, y eso eran palabras mayores.

Pero no solo nos habíamos quedado plantados nosotros los franceses de Orán, en Sedjenane, a veinte kilómetros de Bizerta, siendo los más débiles y los peor pertrechados. Al sur, intentando cerrar una bolsa alrededor del Afrika Korps que protegía la capital, había dos ejércitos; formidables: uno, el americano del general loco Patton; y otro, el británico del mariscal Montgomery, la loca Monty, lo llamaban. Ni con esas. Desde noviembre del cuarenta y dos hasta mayo del año siguiente aguantaron los alemanes, empujando, rompiendo líneas, luchando, contra todo pronóstico, en las estribaciones de la serranía desértica del Dorsal occidental. Y lo digo para ilustración de quienes no hayan luchado a pie contra unidades de carros en medio del desierto. Es un infierno. Allí perdimos a muchos camaradas; nos diezmaron. Nos segaron la vida con sus cañones y sus ametralladoras, nos masacraron, pero los españoles continuaban impertérritos, diezmados pero impertérritos. «¡Vamos a por ellos!», gritaba el Pirata mientras tuvo voz y todos seguíamos adelante sin desmayo. Al principio yo no lo comprendía, no comprendía este empeño enloquecido. Pensaba que era solo por el gusto de matar de mis salvajes compañeros de armas.

Pero poco a poco me fui dando cuenta de que las guerras solo se ganan así. ¡Qué horror!

En medio de la Tunicia, había un paso, a quinientos metros sobre el nivel del mar, bien alto en la montaña del desierto: el paso de Kasserina, que a alguien se le había ocurrido que era vital para la victoria en la marcha hacia Túnez y para la consiguiente derrota de Rommel y su Afrika Korps. Había que cerrar el paso a los alemanes, que querían romper el avance aliado hacia el este e impedir el cerco.

¿Y quién estaba allí para cerrar el paso a los alemanes? Nosotros, sí señor. Bueno, no solo nosotros. También había batallones americanos de esto y aquello, artillería, un regimiento de ingenieros y otro de zapadores, pero poco para resistir el ataque concertado de las fuerzas nazis: un montón de novatos mascando chicle en su bautismo de fuego. Y nosotros, un montón mucho más pequeño de curtidos veteranos que las habían visto de todos los colores en los campos de batalla de España durante la Guerra Civil y que estaban decididos a vender muy cara su piel.

El 18 de febrero de 1943 nos instalaron en las laderas del paso de Kasserina para frenar al Afrika Korps. Menuda broma.

Llovía y hacía mucho frío.

A nuestro alrededor solo había barrizales; nos encontrábamos muy lejos de los oasis de palmeras y lagunas que se divisaban allá abajo entre senderos y rocas de arenisca, aunque dábamos gracias al cielo por no estar en el fondo del valle en el camino de los tanques.

A mi derecha, Domingo y John el Brigadas. De hecho, los tres ocupábamos el flanco este de la línea de defensa.

A mi izquierda, uno de los tenientes, me parece que Montoya o tal vez el propio Granell. Y más allá, el resto de los batallones de españoles, al mando del almirante Buiza y de un subalterno que había sido comandante en la Guerra Civil y que no quería más responsabilidades, ya ven. Murió lanzándose cuesta abajo para ametrallar a los que venían en la torreta del primer tanque de Rommel. Detrás bajaron otros diez; también murieron, no sin antes reventar la torreta y retrasar el paso de los tanques que seguían.

A cualquier cosa se le llama batallones de españoles. Éramos una abigarrada mezcla de desertores de la Legión Extranjera, de refugiados que los legionarios habíamos rescatado de los campos de concentración del sur de Argel y de un buen montón de españoles de Orán que habían decidido unirse a nosotros en la batalla. Muchos, menos yo, antiguos combatientes en la Guerra Civil, sobre todo anarquistas y comunistas. Gente de bien. A los demás les habíamos dado instrucción en el manejo de las armas cada vez que, en pleno desierto rumbo a Túnez, parábamos para estirar las piernas. A última hora se nos había sumado un batallón de la Legión Extranjera. Ignoro de dónde habrían salido, porque no reconocí a ninguno.

En la madrugada del 19 de febrero, los *panzers* de Rommel empezaron a atacar. Lo comprendimos por el estruendo del primer obús que nos pasó por encima de la cabeza y fue a estallar contra una roca a unos cuarenta metros más arriba. Durante más de medio minuto nos cayó encima una lluvia de piedras; nuestras cabezas estaban protegidas por los cascos, pero nada defendía nuestros hombros y espaldas de los guijarros que nos ametrallaban en su caída. Allá arriba, en la meseta en la

que impactaban los obuses, debía de haber algún riachuelo seco (bueno, seco hasta hoy que llovía) cuyas piedras estallaban como fuegos artificiales, desprendiéndo-
se de las rocas hechas añicos y mortíferas esquirlas. El
casco me libró de una muerte segura porque un pedrus-
co suelto rodando a saltos ladera abajo acabó pegándo-
me en él. Estuve aturdido durante un buen rato sin conseguir reponerme del golpe mientras me ensordecían las
continuas explosiones a nuestro alrededor.

Vi que a unos veinte metros, Domingo me gritaba algo
que no conseguía oír. Luego, con grandes aspavientos
me obligó a guarecerme detrás de la roca que tenía delante.

En ese instante empecé a pasar verdadero miedo. Un
miedo irracional e incontrolable que me decía que era
imposible sobrevivir en esta locura y que, si me movía,
moriría al instante. Todo de una irracionalidad perfectamente racional. ¿Cómo no iba a alcanzarme uno de
los obuses que nos llovían de todos lados? Me quedé
bloqueado, sin poderme apartar de la roca que me servía de precario refugio y que me impedía ver para disparar. Tardé un buen rato en reaccionar y entrar por fin
en guerra, disparando a tontas y a locas en todas las direcciones.

Luego, después de la batalla, pasado el pavor que me
paralizaba, comprendí que sentía una admiración sin límites por aquellos compañeros tan generosos con su sangre: ese día murieron treinta y ocho, entre ellos, además
del comandante y el resto de los acribillados en el asalto
a la torreta, el Pirata, al que vi caer a pocos pasos con la
cabeza reventada por la metralla. A mí, que, al contrario
que ellos, nunca había sido soldado ni había intervenido
en batallas, me sobrecogía verlos impasibles en el peligro, cayendo fulminados sin sucumbir al instinto tan humano de recular para protegerse. ¿Echarse para atrás?

¡Nunca! «¡Que no quede uno! —gritaba el Pirata cuando aún podía—. ¡Que no quede uno!».

Me enorgullecía saber que yo había sido aceptado como uno más entre ellos. Decidí entonces que eran mi familia porque su lucha era pasión pura detrás de la que no se disimulaba egoísmo alguno y yo quería ser igual. ¿Exageraba? Creo que no. Domingo me habría dicho: «Claro que sí, camarada, pero no llores, ¿eh?».

Eran héroes estos camaradas míos, los héroes de la guerra, compasivos y crueles a la vez, luchadores sin límites, sin que les importara entregar sus vidas por defender unos ideales que nadie les había inculcado. Estos, decidí, iban a ganar la guerra; nada los detendría, estaba seguro. Hasta que recordé que eran los derrotados de la Guerra Civil en la que habían intervenido con la misma clase de pasión hasta el desastre final. Este simple hecho hizo que comprendiera la razón por la que me sumaba a la crueldad de la lucha, sin cuestionarla y sin que se me fuera el miedo, desde luego, pero con la misma voluntad de matar y derrotar al enemigo en aras, pensaba, de la libertad, mía, de Marie, de todos. Mismo terror, idéntica pasión.

La batalla de Kasserina fue un desastre. A final de febrero nos retiraron de allí y dejaron que los *panzers* de Rommel se hicieran por un tiempo breve los dueños absolutos del malhadado e inútil trozo de montaña. A los españoles nos llevaron hacia el este y nos pertrecharon por fin con armamento moderno. En una acción relámpago y con muchas bajas, tomamos un poblacho de muerte, Pont du Fahs, el 7 de mayo de 1943. Ese mismo día, al atardecer, entramos por fin en Bizerta. Lo hicimos como ejército victorioso, habiendo derrotado al Afrika Korps. Se rindieron el 13.

La campaña de Túnez nos había costado a los aliados setenta y seis mil bajas. Se dice pronto.

Hay un momento luminoso de los días que siguieron, uno de los momentos de mayor emoción de mi vida, que fue contemplar la llegada a Trípoli del regimiento de marcha del Chad con el general Leclerc al frente. Fue como el final de una película del oeste.

A los españoles conquistadores de Bizerta nos habían trasladado a Libia, en donde el célebre coronel Putz, después de haber combatido contra Rommel en los Cuerpos Francos de África, estaba montando el tercer batallón del regimiento de marcha del Chad para integrarlo en la segunda división blindada del general Leclerc. Muchos conocían al coronel, ya fuera por su participación en las Brigadas Internacionales en la Guerra Civil, ya fuera por haber coincidido con él en el campo de Colomb-Bèchar, donde estaban recluidos parte de los refugiados españoles que trabajaban a la fuerza en el ferrocarril Mediterráneo-Níger.

No hace al caso, pero los Cuerpos Francos eran una especie de transacción entre los rebeldes de De Gaulle y los regulares del general Giraud, un caradura pétainista que se había cambiado de chaqueta cuando fue impuesto por los americanos, que no se enteraban de nada.

Todo el mundo adoraba a Joseph Putz. Antimilitarista convencido, cordial, preocupado por su gente, sin ínfulas («ínsulas», las llamaba Domingo) ni soberbia, militar valeroso, a Putz lo habríamos seguido todos sin dudar. Pues él estaba recogiendo gente para que se sumaran a las unidades del coronel (para entonces ya general) Leclerc.

Leclerc.

Una mañana cálida y llena de luz llegó a Trípoli al frente de sus tropas. Se lo distinguía de los que las componían por las estrellas en la bocamanga y el bastón de cojo accidentado en el que se apoyaba. Por nada más. Encabezaba un grupo de desharrapados que más parecían mendigos que soldados. Sucios, con barbas de meses y greñas hasta los hombros, renegridos por el sol, con las camisas rotas y los pantalones a jirones. Subidos en los camiones que los traían, muchos llegaban descalzos o con sandalias indígenas. El propio Leclerc llevaba botines de ante, un uniforme colonial de tela de cuyo pantalón faltaba la pernera izquierda hasta la pantorrilla; en la cabeza, una vieja gorra de tela con visera y por detrás un cubrenuca de algodón para protegerse del sol de justicia del desierto.

Todos sonreían.

No gritaban ni daban señales de júbilo. Nada. Desfilaban como si estuvieran bajando por los Campos Elíseos de París.

Eran exactamente tres mil doscientos sesenta y ocho hombres, entre españoles (más de un centenar), franceses e infantería del Chad, fusileros senegaleses y el grupo nómada de Tibesti que venía a lomos de camello. Las tropas indígenas eran «más negras que mi culo», Domingo *dixit*.

A medida que se aproximaban, la avenida principal de Trípoli se fue llenando de soldados y oficiales ingleses y franceses, que empezaron a aplaudir y a vitorear a los que desfilaban. Nosotros también; nos empezó a parecer que presenciábamos el final de una gesta épica... Se me hizo un nudo en la garganta solo de verlos desfilar e imaginar por su aspecto lo que con seguridad habían conseguido. Las ovaciones no paraban, las gorras de los soldados británicos eran lanzadas hacia arriba con verdadero entusiasmo, los gritos iban en aumento. A mi lado había un grupo de ingleses con lágrimas en los ojos.

Fruncí el ceño y me volví hacia ellos.

—¿Y estos? —pregunté en inglés—. No me digas que son los españoles de Leclerc.

—*These ones? Of course. It's the Tchad March Regiment.* ¿Estos? Claro. Son el regimiento de marcha del Chad.

—¿Qué dice? ¿Qué dice? —exclamó Domingo. Para que se enteraran mis compañeros, y a gritos, de modo que se me oyera por encima del ruido y los vítores, me puse a traducir lo que me contaban:

—Y ese que va ahí es el general Leclerc —continuó el inglés.

—No, eso ya lo sé. Pero ¿de dónde salen? Porque lo último que oímos de ellos es que estaban en Gabón y en el Chad, pero nadie estaba muy seguro. Eran solo rumores. ¿Y ahora han llegado aquí? De Gabón acá hay...

—... Dos mil seiscientos kilómetros, sí. Se lo han hecho a pie, a lomos de camello, en burro... Y al principio no eran más de trescientos cincuenta que se cruzaron el desierto del Chad, mil setecientos kilómetros, con una mierda de camiones en los que llevaban combustible, comida y hasta una enfermería sobre el piso de hierro de la caja de una camioneta.

—Ya —dijo otro, un oficial británico que estaba a su lado—, y para encontrar el camino se guiaban por las estrellas.

—¡Venga ya!

—Palabra.

—¿Sabéis lo que hicieron? —insistió el primero—. Se fueron hasta el oasis de Kufra donde había tres mil italianos y los hicieron prisioneros a todos y se llevaron los tanques, los cañones y el resto del armamento. *Three hundred guys!* ¡Trescientos tíos!

—No me jodas —dijo Domingo.

A Daniel, el chaval de Almería que nos había traído el pescado al chiringuito de Orán, le brillaban los ojos de entusiasmo, como si estuviera presenciando una escena de trescientos espartanos derrotando a Jerjes de los persas en las Termópilas. ¡Cuánta emoción en aquel rostro tan joven!

—¿Y? ¿Y? —preguntaba.

—Ya lo creo... Y después siguieron andando, andando, ¿eh?, hacia el norte, hacia la zona del Fezzan, aquí al sur de Trípoli, y dos años después, en enero pasado, tomaron Murzouk y echaron a los italianos. Se acabó el Eje en África, amigos. Eso es lo que han hecho estos bárbaros. Y de paso se han convertido en leyenda, la leyenda de los valientes entre los valientes.

—Cojones. —Domingo se quedó callado y de pronto exclamó—: ¡Pero si aquel que va en ese camión es Paco el Minero que estuvo conmigo en el Ebro! ¡Eh, Paco, Paco! No me ve...

—¡Ah, los españoles de la Legión Extranjera! Ya he sido informado de cómo defendieron la Kasserina —dijo el general Leclerc—. Sí, sí, espléndido. Indisciplinados, buenos combatientes, duros de pelar, valientes hasta la muerte. ¡Admirable!

Hablaba con un grupo de españoles, entre otros, los que quedábamos de los doce que habíamos confraternizado en Orán. De cerca, con su bigotito recortado y sus facciones elegantes («Oye, pesa un cuarto de kilo», exclamó Domingo), resultaba muy simpático, pero sobre todo fascinante como personaje. Seguía vestido con sus harapos, aunque se había bañado y afeitado, cortesía del mariscal Montgomery. Un capitán suyo llamado Dronne, el mismísimo Dronne que lideraría nuestra columna en la marcha hacia París, nos dijo que Leclerc había rechazado el uniforme británico limpio que le ofrecían hasta tanto no le garantizaran que todos sus soldados serían equipados de igual modo.

Nos estuvo explicando la campaña del Chad, las interminables marchas por el desierto, las noches al frío sobre las dunas y las batallas implacables a sangre y fuego. Siempre con cuidado de restarse importancia. Me cautivó su modestia.

—Mi general —dije por fin. Leclerc volvió la cabeza para mirarme y alzó las cejas en señal de interrogación—. Manolo el Nuncio, a sus órdenes. Perdone la osadía.

—Ah, *Manolo le Nonce* —sonrió—. También he oído hablar de usted. —Domingo me miró con cara de sorpresa—. Diga.

—Verá, señor. —Carraspeé—. Perdone la pregunta, pero es que no estamos muy seguros de lo que vamos a hacer ahora. ¿Vamos a ir a Francia?

—Cuando nos metimos en la guerra, Manolo. —Sonrió—. Manolo, ¿eh?, cuando me metí en la guerra, me comprometí a hacer tres cosas: librar a mi patria de indeseables, liberar París y reconquistar Estrasburgo. No sabría cómo hacer todo esto si no estuviera allá con mis tropas. ¿He contestado a su pregunta?

—Sí, mi general.

—¿Ves como acabaríamos yendo a nuestra guerra? —murmuró Domingo—. Y ya me dirás qué coño le han dicho de ti.

—Y yo qué sé.

—Me parece que es porque hubo uno que le dijo al sargento cabrón que no nos echaríamos para atrás ni para arriba en el paso. Le dijo: «¡Para abajo, sargento, para abajo, coño, como el Pirata!». ¿Fuiste tú?

—No me acuerdo.

—Fue él —dijo John el Brigadas en voz muy baja, casi inaudible—. Yo lo oí. —Me miró—. Y luego te levantaste y te pusiste a correr montaña abajo pegando tiros como un loco.

Pasamos algunas semanas en Trípoli, sobre todo bebiendo cerveza y comiendo dátiles para reponer fuerzas. Por las noches, los beduinos asaban cabritos en la lumbre y nos daban grandes trozos de carne sobre pan de pita empapado en la grasa que goteaba. El pan se cocinaba en la arena convertida en horno debajo de las brasas.

Algunos de mis compañeros intentaban luego visitar las casas de putas del puerto y sus alrededores, «para descargar» decían, pero las colas eran interminables y los soldados ingleses, que llevaban más tiempo allí y estaban mejor alimentados y descansados, «conseguían —decía John el Brigadas— poner el gato en el agua». Algunos de los españoles, siempre los mismos, se enzarzaban con ellos en ruidosas peleas, que acababan con la presencia de la policía militar y algunos de los protagonistas en el calabozo, en donde ocurrían fraternales reconciliaciones y renovadas promesas de amistad. «¡Nos veremos en París!», se decían riendo.

Leclerc tuvo en esos días una pelea espantosa con los ingleses: quería que se uniformara a las tropas del Chad y a los fusileros de Senegal igual que al resto de su columna. Mal asunto. Eran negros y no se los podía llevar a Europa; para morirse por el desierto, sí; para ensuciar las trincheras y las ciudades del continente, no. Por lo visto, era el loco de Patton el que no quería negros en su ejército. Vaya tipo. No hubo modo. Leclerc tuvo que acabar cediendo so pena de quedarse sin su brigada de marcha, sin mando y, lo que más le importaba, sin reconquistar París y Estrasburgo al frente de sus tropas. Cedió, y me parece que fue lo que más le dolió de toda la guerra. Philippe de Hauteclocque, alias Leclerc, de familia de católicos y de la más rancia Francia, sí señor.

—Leclerc, ¿eh? Igual que tú Manolo el Nuncio o yo Sabadell. Vaya tipo. ¿Sabes que estuvo con Franco en la guerra? Hace falta tener huevos para decidir que tus viejos aliados son enemigos de Francia y ponerte a pelear contra ellos.

Confraternizamos con algunos de aquellos guerreros negros, unos hombretones grandes y coriáceos, orgullosos de sus hazañas militares con el regimiento de Marcha a las órdenes del general, pero humillados por el trato que estaban recibiendo en Trípoli y por el hecho de que se les impidiera seguir en la guerra y acompañarnos a Europa. No lo comprendían. Sobre todo, les entristecía tener que volver a sus tribus en Senegal, en el Gabón, en los confines meridionales de Chad, sin los atributos de la victoria, sin uniformes nuevos y armamento moderno. Fue una perrería y pasamos horas intentando consolarlos sin éxito. Me pareció repugnante lo que les hacían. Bien pensado, yo también era racista, pero si uno de aquellos negros luchaba codo con codo a mi lado y se jugaba la vida conmigo, era mi hermano. «Todos somos hijos de Dios —decía Domingo. Y añadía—: Me cago en Dios».

Al poco tiempo nos llevaron a Temara, cerca de Casablanca, para concentrarnos de nuevo antes de embarcar hacia Francia.

En Temara, el coronel Putz, con los restos del regimiento de marcha del Chad, tres batallones recuperados de los Cuerpos Francos y todos nosotros, colaboró con Leclerc en la creación de la segunda división blindada, con la friolera de diecisiete mil soldados. Allí quedamos a las órdenes de nuestro general, integrados en el Tercer Ejército de Estados Unidos al mando del loco. En esa 2ª DB, en su tercer batallón comandado por Putz, estaba La Nueve, la 9ª compañía, la nuestra: ciento cincuenta y seis españoles (más John el Brigadas), cuya movilidad dependía de veintidós camiones-oruga, los *half-tracks*, que salían más o menos a diez dementes (más una banderita republicana o una chapa con la tricolor por demente) y dos ametralladoras por camión. Más dos *jeeps* y un tanque.

Ningún oficial francés quería ponerse al frente de La Nueve. Teníamos mala fama; éramos indisciplinados, rebeldes, plantábamos cara a los mandos y solo actuábamos si estábamos convencidos de que las órdenes que nos daban tenían fundamento. Anarquistas, vamos. Ahora, eso sí, una vez decididos, íbamos a por todas. El general Leclerc tuvo que convencer al capitán Dronne para que tomara el mando de La Nueve. Parece que le dijo que éramos buenos soldados, que dábamos miedo, pero que seguro que él podría con nosotros. Y vaya si pudo. Claro que para hacerlo contó con el teniente Amado Granell, el tipo más valiente, más generoso con que jamás he topado. Cuando a finales de agosto del cuarenta y cuatro, lo condecoraron en el Arco del Triunfo, Leclerc dijo: «Si es verdad que Napoleón creó la Legión de Honor para premiar a los bravos, nadie la merece como usted». Todavía se me hace un nudo en la garganta.

El coronel Putz permitió que bautizáramos las semiorugas, mientras no fuera con nombres de personajes para que de este modo no nos metiéramos en política ni pisáramos callos sensibles. Y así les pintamos *Guadalajara*, *Brunete*, *Teruel*, *Madrid*, *Belchite*, *Guernica*, *España Cañí*... Hasta *Don Quijote* en francés, *Don Quichotte*. El de nuestro jefe, el capitán Dronne, se llamó *Mort aux cons*, *Muerte a los gilipollas*. Les pintábamos los nombres en blanco en la base de los parabrisas. Al nuestro, después de mucha discusión, le pusimos *Coito Habanero*, aunque yo al final, ya en la última etapa hacia París, acabé conduciendo el *Madrid*.

El 11 de abril del cuarenta y cuatro, a los de La Nueve nos hicieron embarcar en Mers el Kébir en un buque, el

Franconia, un paquebote de lujo con cabinas individuales. «Así es como viajas tú, ¿eh? —dijo Domingo—. Ya te lo dije: siempre en primera. Jopé con el señorito».

En un cruce de la carretera que va de Casablanca a Temara, el general Leclerc, solo, de pie, apoyado en su bastón, presenció el paso de la segunda división blindada. Fue como si, impertérrito en ese lugar perdido de Marruecos, quisiera escudriñar, para no olvidarlo, el rostro de cada uno de sus soldados, para desearles uno a uno suerte en la batalla. Era su ejército, el ejército con el que conquistaría París (y Estrasburgo, claro).

Él podía querer París, pero yo estaba en esto para recuperar a Marie. Se me saltaron las lágrimas y fui todo el camino hasta Mers el Kébir ensimismado, cabizbajo para que no se me notara la emoción, rumiando mis recuerdos, amando de nuevo. Tenía recuperada la determinación y olvidada la culpa. Bueno, tal vez olvidada, no, pero, al menos, dispuesto a vivir con ella.

Tres años. Habíamos tardado tres años en emprender el camino de regreso.

MARIE

9

Lo último que recuerdo del momento en que cerré la puerta es la cara de desesperación, como un dardo, de infinita tristeza de Manuel. Allí se quedó, sentado en mi cama, sin hacer un gesto, sin pronunciar palabra, sin que se le escapara el gemido que tenía en el fondo de la garganta. Como un dardo. No había en su rostro más que dolor e incomprensión. ¿Cómo podría haber otra cosa si yo misma no lo entendía? ¿Si no entendía lo que acababa de hacer?

Acababa de sacrificar el amor de mi vida porque mi amante había cometido el inmenso pecado de salvarme de una muerte segura. Me había salvado y yo lo apartaba de mi lado. ¡Qué sarcasmo! A cambio, él había condenado a muerte a Philippa von Hallen. Una cosa por otra, sí. Y menudo trueque: Manuel pagaba el peor precio posible por salvar la vida que adoraba. Por amor hacia mí. Y yo le devolvía este amor tan inmenso, tan correspondido, apartándolo de mi lado para siempre.

Y en ese instante, desoyendo la voz que desde dentro de mi cabeza me aseguraba que había hecho lo correcto, estuve en un tris de volver a la puerta de mi habitación, abrirla y exclamar que no importaba. Manuel, no importa. Creo que hasta murmuré: «Manuel», pero en ese momento oí que se cerraba sigilosamente la puerta de la calle y no fui ya capaz de moverme. Era demasiado tarde, demasiado definitivo. Mi vida se había convertido en esta tragedia inesperada. Era mi destino. Y pagaría por ello, oh, sí que pagaría.

¿Había sido suficiente argumento decirle que Philippa era nuestra responsabilidad y que por eso debíamos protegerla por encima de todo? Porque Manuel me suplicó: «Son las desgracias de la guerra», me dijo; «Tenía que escoger y no lo dudé», me dijo; «Por salvar nuestra vida lo habría traicionado todo», me dijo.

Pero yo le contesté que, por el contrario, salvando a Philippa, no habríamos hecho más que aceptar que esa era la razón por la que luchábamos. ¿Me habrían fusilado? Bueno, habría sido el precio a pagar. Estaba dispuesta (aunque le dije a Manuel, sin creérmelo, que, en tanto que francesa, nadie me iba a llevar al paredón). Philippa era nuestra parcela de redención, nuestra victoria sobre el enemigo, por pequeña que fuera. ¿No lo entendía? No, me dijo, no, no. No comprendí que era su modo de explicarme cómo había resuelto el dilema moral. ¿Por qué, Philippa o yo? Ninguna de las dos ¿no? Olvidé que muchas veces Manuel me había dicho que esta asquerosa guerra no merecía nuestro dolor, que lo único que valía la pena éramos nosotros. Estuvimos siempre de acuerdo. Y a la primera oportunidad, lo desmentí, lo negué como San Pedro antes de que cantara el gallo. A lo mejor se debió a que mi generosidad casi adolescente no era comparable, para bien o para mal, a su egoísmo de persona madura de vuelta de todo lo que no fuera esencial: lo veo ahora tantos años después. Él comprendía los límites que imponía la brevedad de la vida, la necesidad de no desperdiciarla en esfuerzos inútiles, lo irreprochable de la felicidad, mientras que yo aún creía en causas sin recompensa que exigían sacrificio solo porque la decencia lo hacía necesario y solo porque el dolor lo redimía. ¿No tendría yo razón? Pero ¿era el egoísmo un vicio realmente execrable?, ¿era la generosidad una virtud verdaderamente absoluta? Nunca estuve segura y sigo sin estarlo.

¿Bastaban mis razones? Porque, sola en el saloncito del piso en el que me había acogido Olga Letellier, la amiga de mis padres, no estuve segura. De pronto, mi rechazo me pareció un insulto a todo lo maravilloso de la vida.

La guerra nos había derrotado sin remedio. Nos había dejado huérfanos a los tres.

Pagaría por este pecado mío de soberbia durante el resto de mis días. ¿O no era soberbia asumir los papeles de juez y parte ahora que estaba segura de haber salvado la piel a cambio de la de Philippa?

Pronto tendría que encontrar el modo de devolver este veneno que me atravesaba la entraña. Con sangre, sí. Me espantó lo que vi dentro de mí, porque en ese momento, intuyéndolo solo, decidí vengarme de quien había destruido nuestras vidas.

Pensé en mi padre y en cómo me habría gustado tenerlo a mi lado ahora para plantearle todas estas dudas y dolores, para que él me consolara de tanta infelicidad con su voz pausada y su sensatez de hombre inteligente.

Decidí entonces que nada me retenía ya en Vichy. Las emociones de los pasados meses, los amigos, los enemigos, Manuel y Domingo y Aristides y Olga Letellier. Mi tiempo en Vichy se había acabado. Me tocaba ir a la guerra apartándome de esta sociedad hipócrita y llena de beatería suficiente, los rijosos que me miraban las piernas o deseaban mis pechos mientras rezaban el rosario antes de comulgar.

Volví a mi habitación. Encima de la cama, sobre el edredón, quedaban las arrugas de donde habíamos estado sentados Manuel y yo.

No quise mirar.

Fui directamente al armario en el que guardaba la maleta y la ropa. Al llegar a Vichy, las doncellas de Olga habían querido llevarse el equipaje para guardarlo en el trastero, pero me negué. Prefería tenerlo todo a mano: me daba más sensación de provisionalidad, como si pudiera echarme al camino en un instante sin que me costara dejar nada atrás.

Puse la maleta encima de la cama y la abrí, pero, antes de poder volver al armario para empezar a sacar mi ropa, un calambre repentino e inexplicable me dobló en dos y tuve que quedarme quieta, paralizada por un sudor frío que de golpe me cubrió entera. Me corrían los goterones helados por debajo de las axilas, deslizándose por los costados. Tenía la frente y el cuello empapados.

Sin avisar, me venció un mareo que hizo que me tambaleara. Apoyé una mano en la colcha para recuperar el equilibrio y me senté en la cama. Me ardía la garganta por un golpe de bilis. Inclinando la cabeza hacia las rodillas, quise esperar a que se me pasara el malestar. Tenía unas contracciones horribles y pensé que, en vez de inclinada hacia delante, estaría mejor tumbada, pero cuando quise hacerlo me subió el vómito y casi no tuve tiempo de llegar al baño.

Fue espantoso. No había comido casi desde la víspera y lo único que vomité fue bilis con unas arcadas que no cesaban y que parecía que me iban a arrancar el estómago. Mezclada con la bilis, me caía saliva y me dolía debajo de las orejas. Fue insufrible. Estuve un buen rato así, inclinada sobre la bañera, cortada la respiración. Me retumbaba la cabeza a grandes latidos.

Al cabo de un buen rato, pude enderezarme por fin. Me lavé la cara y la garganta y la nuca con agua fría y puse las muñecas debajo del chorro del grifo hasta que poco a poco fui recuperando el equilibrio. Me miré en el espejo y me asusté: tenía el rostro demacrado, como el de un cadáver, y se me habían formado grandes ojeras violáceas que me hundían los ojos hasta que parecían desaparecer debajo de los pómulos.

Tambaleándome, salí al pasillo con la intención de llegar a la cocina y pedir que me prepararan una tila o un té con que aplacar el dolor de estómago. Pero al pasar por la sala, vi que Olga se levantaba de su sillón con cara de alarma.

—¡Pero, Marie, niña! ¿Te encuentras bien? Tienes muy mala cara... —Se acercó a mí y, sujetándome por la cintura, me llevó hasta un sillón e hizo que me sentara—. Aquí estarás bien hasta que venga el doctor Jacquetot. Le voy a llamar ahora mismo. Te tiene que ver. ¡Huy! —exclamó poniéndome la mano en la frente—. Tienes fiebre. No te muevas. —Me envolvió en una manta que siempre estaba colocada sobre el respaldo del sofá y luego añadió—: Te tomarás un té, ¿verdad?

Por una vez, me pareció que su ofrecimiento merecía atenderse y dije que sí con un débil gesto de la cabeza. Siempre que ocurría cualquier cosa a su alrededor, liviana o grave, Olga ofrecía un té.

—Deberíamos avisar... ¿Dónde está Manuel? Debemos avisarle, ¿no?

Hice un nuevo gesto vago y murmuré:

—Me parece que se ha ido.

—¿Sí? ¿Adónde, pobre chiquilla?

—Tenía mil cosas que hacer fuera de Vichy.

—Pues hay que encontrarle.

—Luego.

Cerré los ojos. Recuerdo haber pensado que el día me estaba pasando factura con sus sobresaltos, los disgustos, las secuelas de mi apresamiento en París, el viaje y mi trágica conversación con Manuel. Era lo menos que podía pasarme.

El doctor Jacquetot, viejo amigo de Olga y médico desde siempre de toda la familia, me auscultó cuidadosamente, me hizo que le volviera a describir los síntomas, me tomó la temperatura y la tensión, me miró las uñas de las manos y, con el martillo de goma, comprobó los reflejos de rodillas y codos.

—*Mademoiselle* —dijo por fin—, ¿conoce usted la prueba de la rana?

Quedé muda de la sorpresa. Y después exclamé:

—Pero... Pero ¡doctor! ¡Es una prueba de embarazo!

Sonrió.

—Pues sí... Creo que debemos felicitarles a usted y a su marido. No podemos afirmarlo con total certeza hasta tener el resultado del test dentro de veinticuatro horas, pero... —Revolvió en el maletín de cuero negro que había dejado a sus pies y extrajo una especie de pequeña probeta de vidrio, cerrada por un tapón de caucho. Me la entregó—. ¿Le importaría darme una muestra de su orina ahora?

Miré a Olga; tenía los ojos muy abiertos y se mordía un puño. Creo que parpadeé y empecé a jadear.

Era demasiado. El día de mi más inmensa tristeza se cerraba con... con... Dios mío. ¡Dios mío! Mi amor absoluto, al que acababa de echar de mi lado, me dejaba sin saberlo el regalo más precioso: un hijo suyo. ¡Un hijo suyo! De golpe, todo nuestro discurso de la mañana, el sacrificio, el rechazo, el perdón implorado, mi dureza, su dolor desaparecían sin dejar rastro. Ni siquiera me sentía madre, me sentía pertenencia total de Manuel. Nada más.

Me puse de pie y, con el pequeño frasco en la mano, me acerqué a Olga y me abracé a ella. Estuvimos así un rato. Ella me decía: «Mi pequeña niña», y me acariciaba la espalda. «No llores, anda, no llores más».

El doctor, sentado en el sofá, sonreía. El pobre desconocía la situación por completo.

—Un hijo de la guerra —dijo—. Una alegría para tiempos espantosos. Enhorabuena...

Me di cuenta de que, en una época en la que un hijo de soltera era un verdadero escándalo, una violación de los códigos éticos y religiosos de la sociedad, Olga, una representante señera de esta, no se escandalizaba. Solo me felicitaba. Se alegraba por mí. Aquella mujer tenía un corazón de oro.

A los pocos minutos, el doctor se fue con el frasquito lleno y envuelto en papel de seda, prometiendo volver al día siguiente.

—Ahora métase en la cama y descanse. Le vendría bien un consomé.

¿Y si Manuel me rechazaba?

10

Cuando el automóvil encaró por fin el camino de entrada a la masía de Les Baux, rompí a llorar. Me cubrí la cara con las manos y me doblé hacia delante, pretendiendo no verla.

—¡Pero qué casa más preciosa! —exclamó Olga, inclinándose para mirar por detrás de la cabeza del chófer. El día era luminoso y muy frío. Los rayos del sol de invierno caían ya oblicuos contra la fachada, acentuando el color miel de sus piedras, relucientes entre los matorrales de lavanda resecos y las adelfas.

M'sieur Maurice y su mujer, Albertine, ya esperaban en pie delante del porche a que se detuviera aquel gran automóvil, el Packard de Olga en el que habíamos hecho el viaje desde Vichy echando humo negro. Ni siquiera ella había conseguido librarse del gasógeno.

El doctor Jacquetot, como había prometido, había vuelto a las veinticuatro horas a casa de Olga.

Yo estaba tumbada en el sofá, envuelta en la misma manta y con la misma cara demacrada de la tarde anterior. Me sentía fatal. El día pasado había sido un verdadero infierno, con accesos de vómito desde el momento mismo del despertar, nada más abrir los ojos. Y luego se repetían y repetían, una, dos, tres, cuatro veces y cada vez amenazaban con arrancarme hasta las entretelas, tales eran las arcadas que me sacudían, añadidas a la angustia de no saber si lo que me asaltaba era un embarazo o un envenenamiento por algo que hubiera comido o la tensión de la última semana (que fuera un embarazo, por Dios, porque solo eso podría compensarme de este horroroso malestar). Por momentos me encontraba tan mal que habría dado lo que fuera para que se me pasara. ¿Lo que fuera? ¿Estaba loca?

Había cerrado los ojos brevemente para intentar recuperar algo de equilibrio de modo que la habitación dejara de dar vueltas a mi alrededor. El mareo nada tenía que ver con la náusea; era solo que el vómito me dejaba tan débil que tardaba un rato en rehacerme.

—El doctor, *madame* —anunció entonces una de las doncellas.

Solo quise incorporarme de un salto pero no pude pasar de contraer el estómago: una nueva náusea me obligó a ponerme de costado y levantarme para correr hacia el lavabo de invitados. Llegué justo a tiempo. Parecía mentira la rapidez con que la náusea me forzaba a devolver bilis, bilis verde mezclada con saliva, y lo mucho que costaba luego dejar de vomitar de una vez.

Cuando, apoyándome contra el quicio de la puerta y sobre los respaldos de las sillas, volví al salón, Olga preguntaba al médico:

—¿Le apetecería una taza de té, doctor?

—Muchas gracias, querida amiga. La tomaré encantado. ¡Ah! —dijo volviéndose hacia mí—, nuestra importante y sufriente enferma. ¿Cómo estamos hoy? —Puse cara de circunstancias y él dijo—: Ya veo que no muy bien. Pues traigo buenas noticias... —Tuve que sentarme agarrándome el cuello con una mano. Se me había desbocado el corazón—. Sí —añadió, con una gran sonrisa—. Está usted embarazada, yo diría que de cuatro semanas, seis, tal vez.

Rompí a llorar sin poderme contener. Olga se me acercó, se sentó a mi lado y cogiéndome en un abrazo, exclamó:

—¡Mi querida niña! Cuánta felicidad...

—Ah, sí, Olga..., cuánta felicidad. —Y sollocé. Solo yo sabía cuánta felicidad y cuánta infelicidad podían sentirse al mismo tiempo.

La concepción de esta flor maravillosa que crecía dentro de mí fue, estuve segura, una tarde de siesta en la gran cama de la masía de Les Baux en la que volvería a dormir esta noche. Recordaba bien el día y la lujuriosa pereza. Todo empezó como una travesura: habíamos estado hablando del futuro y luego de tonterías. Riendo, me subí sobre Manuel con intención de hacerle cosquillas. Lo aprisioné con mis muslos. «¡No, no! —Rio él—. ¡No, que no aguanto que me hagan cosquillas!», pero lo sujeté con las dos manos agarrando sus hombros y lo empujé contra el colchón. «Estate quieto», le dije. Me incliné para besarle y, de pronto perdí, perdimos, la noción del tiempo: volé con él por encima de las nubes y los aromas, más allá del mar y la brisa, hasta que estalló el mundo a nuestro alrededor. Me derrumbé sobre él y estuve así mucho rato. Luego, oí su risa saliendo de debajo de mi garganta. «Menos mal que pesas menos que una pluma —dijo—. Te voy a comer entera —añadió—, trocito a trocito, y me detendré especialmente aquí y aquí y en el ombligo». «Eso no es mi ombligo». «Cómo que no». «No». «Bueno, pues está cerca. Y en cuanto se acabe esta guerra, te voy a llevar a Palestina para que tu abuela te vista como dice ella que se visten las mujeres de su tierra antes de hacer el amor». «No necesito vestirme para eso; estoy bien como estoy, ¿eh, Manuel?».

Después vino la infelicidad.

—Creo —dijo más tarde el doctor— que sería conveniente que reposara durante una semana. Está muy débil y su embarazo no le ayuda. Debe usted recuperarse para poder afrontar estos meses con ciertas garantías de salud. Esta guerra no está facilitando las cosas y la escasez de alimentos aún menos. Olga, haga usted el favor de ponerse severa con su pupila. Que guarde cama y que se alimente lo mejor posible.

—Desde luego. Así se hará.

Yo ya había decidido empezar por buscar a Manuel en Les Baux. Era el lugar más lógico. Conociéndolo, sabía que decidiría refugiarse allí, sonreí, a lamerse las heridas. No, pobre amor mío, pasaría un tiempo derrotado, hundido en la tristeza, intentando tomar alguna decisión sobre el camino a seguir. Lo mejor para él sería esconderse en aquellas habitaciones suaves y soleadas en las que revivir nuestra breve vida juntos. Con tanta melancolía, esperé que tardara aún en decidir el siguiente paso. ¿Llegaría a tiempo de encontrarlo ahí y refugiarme en él sin dejarlo escapar ya nunca más?

Cuando se lo dije a Olga y le comuniqué mi decisión de tomar un tren que me llevara hasta Avignon, exclamó:

—¡De ninguna manera, Marie! Me dirás para qué tengo un automóvil y un chófer si no es precisamente para algo así. Y además, ¡qué emoción! En lugar de ir al hipódromo a las carreras de caballos y a tomar el té en Les Quatre Chemins o a hacer gárgaras con las estúpidas aguas en el balneario, que encima saben fatal, una aventura en la guerra... ¡Qué excitante! Además, ya sabes que, por recomendación de Jacquetot, no te tienes que alejar de mi vista. No, no...

—Pero...

—No hay peros. Está decidido: iremos juntas a la Provenza. ¿Quién si no te cuidará en tus indisposiciones?

Escuché sus palabras con verdadero alivio. «Muy bien —le dije al fin—, cedo a la presión. ¡Agradezco tanto tu compañía!».

Durante horas estuve pensando si debía contarle o no toda la historia, todo lo que nos había pasado a Manuel y a mí. Dudaba sin saber qué hacer. Solo me decidí cuando recordé que habíamos ido a París a buscar a Philippa von Hallen porque era amiga de Olga y vivía escondida en una de sus buhardillas. Olga nos suplicó que la encontráramos antes de que lo hiciera la Gestapo, que andaba detrás de ella por orden del mismísimo Hitler.

La tarde antes de emprender viaje hacia Les Baux, le conté todo. Olga me estuvo mirando con los ojos muy abiertos, casi sin pestañear. Su cara vivía cada una de las vicisitudes como si le estuvieran pasando a ella. Cuando terminé, suspiró, me cogió de la mano y dijo:

—¡Qué historia tan trágica! Mi pobre niña, ¡cuánto sufrimiento! ¡Debemos encontrar a Manuel! ¿Te apetece una taza de té? Después haremos las maletas y partiremos hacia Les Baux. ¡Tenemos que contarle que va a ser padre! Menuda sorpresa se va a llevar.

Todo esto, dicho de manera atropellada, como hablaba Olga, siempre con una explosión de sentimientos que habría parecido frívola si no hubiera mediado en ellos su ánimo tan generoso, tan dispuesto a ayudar a todo el mundo.

Fijamos la hora de salida a las ocho y media de la mañana siguiente tras un desayuno de café aguado con leche de estraperlo y un brioche. Claro está, ambos siguieron el mismo camino de salida, casi antes de llegar a mi estómago.

No me había dado cuenta más que inconscientemente y no fue hasta que lo racionalicé que comprendí cómo, de repente, había olores que me repugnaban y que me provocaban la náusea. El café, por ejemplo, mi agua de colonia y las manzanas. Sobre todo las manzanas. Solo pensar en ellas y lo que me asqueaba que me hubieran gustado siempre tanto me provocaba un acceso de vómito instantáneo. Un par de días más tarde, a mi lista de enemigos se sumarían el queso de oveja y el jabón con esencia de rosas, mientras solo pensaba en lo que me apetecía comerme un tarro entero de pepinillos en vinagre.

Por precaución, una de las doncellas de Olga puso una palangana en el suelo del automóvil, un montón de toallas de mano en el asiento a mi lado y un elixir bucal comprado esa misma mañana en la farmacia.

Fue un viaje muy incómodo: teníamos que parar a cada rato para que yo, presa de la náusea que me acompañaba a todas horas, devolviera en la palangana o llegara a bajarme del auto para inclinarme sobre la cuneta de la carretera. Cada vez, Olga me sujetaba la cabeza con gran ternura y después me secaba la frente y me limpiaba la boca con una de las toallitas. También tenía listo un vasito de plata con elixir para que me enjuagara.

Verdaderamente horrible: le había preguntado al doctor si esto duraba mucho tiempo y me sugirió que difícilmente evitaría la incomodidad durante menos de un mes, si no dos. Dijo incomodidad. También me hizo una receta para un antiemético con lo que parecieron aliviarse los síntomas.

—¡Ah, *madame*! Cómo nos alegramos de tenerla aquí —exclamó Maurice, abriendo la portezuela del Packard para ayudarnos a salir del coche—. Ya pensábamos que no vendría, puesto que el señor y *m'sieu* Domingo se marcharon hace dos días y les oí decir que iban a buscarla a usted...

—¿Cuándo se fueron? —exclamé—. ¡Oh, no!

—A primera hora del martes. ¿No habían quedado en que la recogerían a usted?

—No. Me parece que nos hemos confundido de día y de lugar de la cita —contesté mirando a Olga para que no se le escapara nada. Sonreí tristemente—. Ah, qué horror. Qué mala suerte, Maurice. Con los tiempos que corren, venir desde Vichy hasta la Provenza no es un plato de gusto.

—Ya lo sé, *madame*. Y han debido de estar ustedes bien cerca de ellos. Oí decir a *m'sieu* Domingo que, para ir a Clermont, no hacía falta llegar hasta Vichy...

—¡Oh, Dios mío, Olga! Han ido a buscarme a casa de mis padres...

—Pues eso ha debido de ser, Marie... Pero no sabía que Domingo estuviera aquí. ¿Cómo que estaba aquí? No lo sabía. Un joven encantador, Domingo, un poco rudo, pero encantador...

—Yo tampoco lo sabía. ¿Estaba aquí cuando llegó mi... *monsieur* De Sá?

—No. Llegó uno o dos días después que el señor —explicó Maurice—. Aquella misma tarde, les hice de cenar. Bebieron tres botellas de vino, *madame*. Luego preparé un picnic para la mañana siguiente. Se marcharon muy de madrugada.

—No tiene muy buena cara, *madame* Marie —dijo Albertine entonces.

—No me encuentro muy bien, no...

—Lo digo porque tiene usted el mismo aspecto que nuestra Paquerette cuando está embarazada.

—¡Albertine! —dijo Maurice—. Verdaderamente...

Me puse colorada como un tomate.

—Venga usted conmigo, *madame* Marie, que voy a poner agua en la lumbre para prepararle un baño bien caliente. Y a usted también, *madame* —añadió mirando a Olga. Y, en voz baja, me dijo—: Le voy a dar unas hierbas mezcladas con flores del campo para que se haga usted una tisana cada vez que se encuentre mal. Era una receta de mi madre. A mi Paquerette le sientan estupendamente. —Le apreté el brazo en señal de agradecimiento.

—Ah, qué estupendo —exclamó Olga—. Me lo daré con gran gusto. ¿No tendrán ustedes té?

—Sí, *madame*.

—No tenemos mucho tiempo, Olga. Quiero que nos vayamos cuanto antes.

—No, no, no. Ni hablar. Tú no puedes meterte nuevamente en carretera sin descansar al menos una noche. En tu estado, no sería bueno. Ni para ti ni para el bebé. No hay discusión.

11

En la Universidad de Clermont nos dieron la dirección de mis padres. Habíamos llegado hasta el edificio de administración universitaria tras superar a la entrada de la ciudad un control de policía apostado en la carretera, justo antes del cartel que rezaba CLERMONT-FERRAND en grandes letras sobre el consabido fondo blanco. Los policías se guarecían del frío en una pequeña caseta. Nos dejaron pasar tras una somera inspección de nuestros documentos. Por un momento temí que mi apellido levantara sospechas (¡una israelita, por Dios!), pero el gendarme, un oficial impecablemente vestido que los examinó, se fijó más en los de Olga que en los míos. Sonrió y, saludando militarmente, con un gesto amplio de la mano que no podía ser más que galante nos dijo que siguiéramos, por favor.

La casa de papá, un pequeño chalé rodeado de un minúsculo jardín, estaba en una calle tranquila alejada del centro y cerca de las facultades.

Me bajé del coche casi corriendo, abrí la cancela del jardín y en dos pasos estaba frente a la puerta de entrada de la casa. Con la palma abierta di varios golpes en ella. Había, a la derecha de la puerta, un tirador que evidentemente se conectaba a una campanilla que debía de sonar en el interior. En mi impaciencia ni siquiera lo vi.

Al poco rato oí que se descorría un pasador y, después, que giraba una llave en una de las cerraduras.

—¿Quién es? —dijo la voz de mi madre desde el otro lado de la puerta.

—¡Soy yo, mamá!

—¿Marie?

—¡Sí! ¡Soy yo!

Y la puerta se abrió de par en par. Detrás, sonriendo con su carita triste de siempre, mamá me miró y abrió los brazos para que me refugiara en ellos. Estuvimos así, abrazadas durante un buen rato. Ella era más pequeña que yo pero incluso con su estatura le alcanzaba para cubrirme el rostro de besos. En los pocos meses que llevaba sin verla se le había puesto el pelo casi totalmente blanco.

—¡Ay, Wizzie, mi niña! —exclamó. Desde muy chiquitina, mis padres me llamaron así—. ¡Qué felicidad que hayas venido! ¿A ver que te vea? —Se echó hacia atrás para mirarme—. ¡Estás guapísima! Y, déjame ver. —Se hizo a un lado para mirar detrás de mí—. ¡Pero si es Olga! Olga, querida, no me dirá usted que ahora se dedica a hacer de carabina de Marie por media Francia.

—No, no, mi querida Virginie, pero alguien tiene que impedir que Marie haga tonterías. Ya sabe usted lo impetuosa que es.

Rieron ambas.

—¿Y papá? —pregunté.

—Está dando clase y aún tardará un poco en volver. No antes de la hora de cenar, me parece.

—¡Qué ganas tengo de verlo!

—Y él de verte a ti. Te echamos mucho de menos... Pero pasad. Tenéis que descansar un poquito del viaje y luego organizaremos vuestras habitaciones...

—Puedo ir a un hotel...

—¡Qué disparate, Olga! Bajo ningún concepto. La casa parece más pequeña de lo que es. Todos cabremos perfectamente, cada uno en su habitación. Tenemos carbón para encender la estufa; es una estufa de hierro y calienta muy deprisa los cuartos, aunque ahora estén un poco frescos. ¿Eh, Wizzie?

No pude contestar a eso porque me entró un violento ataque de vómito y tuve que salir corriendo hacia el fondo del jardín. No alcancé a dar ni tres zancadas. Olga acudió enseguida a ayudarme. Cuando por fin me enderecé, mamá me miraba con la boca abierta. Olga hizo un gesto de circunstancias y mi madre, habiendo comprendido perfectamente lo que pasaba, dio tres o cuatro pasos hacia mí. No sé con qué magia protectora hacía estas cosas, pero ya traía una servilleta en las manos sabiendo lo que tenía que hacer. Siempre había sido así, desde que yo era muy pequeña. Con inmensa ternura, me limpió la boca y enjugó el sudor de mi frente y luego me cogió entre sus brazos como solo ella sabía hacerlo. Olga dio discretamente dos pasos hacia atrás y yo, yo... Había vuelto a casa.

Me puse a llorar como una chiquilla.

—¿Y dónde está ese español que te corteja? —preguntó mamá. Me encogí de hombros. Mi contestación sonó a desesperanza.

—No lo sé. Nos hemos perdido por el camino. Yo le fui a buscar con Olga a su casa de la Provenza y Manuel vino hacia aquí. ¡Dios mío! ¿En qué estoy pensando? ¿No ha llegado? Debería haber llegado. Sé que venía para acá...

—Aquí no...

Miré a mi alrededor como si Manuel pudiera salir ahora de entre los matorrales, pero no, claro.

—Venid, vamos adentro, que aquí hace mucho frío.

Cuando entramos al saloncito, llenó de carbón la estufa y la encendió. Hacía mucho frío dentro de la casa, casi más que fuera, y ni Olga ni yo nos quitamos el abrigo. Pronto, sin embargo, empezamos a notar el efecto del fuego al irse calentando la tubería de hierro forjado que salía desde detrás de la estufa y se encaramaba por la pared trazando ángulos inverosímiles.

—Manuel no es español, mamá —la corregí en voz baja—. Bueno, en realidad, nació español y hasta acabó haciéndose diplomático de allí... Pero luego llegó la República en España y todo lo que pasó le pareció horrible: las revoluciones, las huelgas, los asesinatos...

—Bueno, hija, aquí no nos ha ido mucho mejor.

—Ya... El caso es que se vino a París. Su madre era parisina. Él había estudiado ciencias políticas en la Sorbona y..., bueno, pidió la nacionalidad francesa y se la dieron.

—Pues qué oportuno, ¿no?

—Sí, mamá. En España dicen que salió de Guatemala para ir a Guatepeor.

—¡Pobre chico! Pero luego te conoció a ti y se enamoró y todo fue bien y comisteis perdices...

—No te rías de mí. Os lo contaré todo cuando venga papá.

—Muy bien. —Siempre fue así de paciente: tratándose de mí, su discreción no era falta de curiosidad, solo cesión frente a papá. No le importaba dejarlo todo en sus manos—. Mientras tanto, veamos qué os puedo dar para que entréis en calor.

Cuando al cabo de una hora llegó mi padre, pareció que toda la casa se iluminaba. Él tenía ese efecto sobre las cosas, con su belleza tan masculina y su aire apacible y decidido.

Al verme, sonrió y, sin decir palabra, abrió los brazos. Me refugié en ellos. Papá era grande, más o menos como Manuel, y en sus ojos había bondad, inteligencia y firmeza. Siempre decía riendo que, con sus orejas pequeñas y la nariz recta, no daba el tipo clásico de judío que esperaban los antisemitas. «¡Ni siquiera estoy circuncidado!», añadía para escándalo de mi madre. «¡Oh, Daniel Weisman! —decía ella—. No tienes decoro».

—Bueno —dijo cuando nos hubimos sentado a la mesa para cenar el potaje que había preparado mamá. No era mucho pero estaba muy sabroso, y el pan, aunque seguro que no había sido horneado esa misma mañana («fresco de hace tres días»), me supo a gloria y pude retenerlo en mi estómago—. Wizzie, vamos a ver lo que nos tienes que contar, ¿no?

Fue una pregunta que no admitía discusión ni disimulo. Papá era así, directo, no dejaba escapatoria posible. Sin embargo, todo lo revestía de un tono cálido y cercano que hacía que las confesiones fluyeran de modo natural, sin miedo ni vergüenza. Había sido así siempre, desde mi infancia, empezando por las notas de mala conducta en el colegio y los novillos.

Estuve hablando mucho rato (con apenas una interrupción para ir al baño precipitadamente). Volví a contar lo que había relatado a Olga, que, igual que el primer día, siguió mis explicaciones con la misma emoción que entonces. Mis padres no me interrumpieron ni mostraron sorpresa ni desaprobación. Simplemente escucharon sin dejar de mirarme a la cara. En un momento, me parece que fue cuando explicaba mi encierro en la horrible casa de la Gestapo en París, mamá alargó la mano derecha para agarrarme por la muñeca y darme calor. No me volvió a soltar.

—Mi pobre niña —dijo por fin mi padre—. No debes culparte por lo de Philippa. Es una mujer fuerte y estoy seguro de que acepta su sino con fatalidad, aunque, claro, con indignación. Parece fácil decirlo y hasta cruel, como si me estuviera encogiendo de hombros, pero nos pasa a todos lo mismo... Todos tenemos que aceptar nuestro sino. Estamos en guerra y ese es el precio que se paga cuando te enfrentas al enemigo. Philippa nunca os culpará a ti o a Manuel. Solo culpa a Hitler, verdadero asesino de toda decencia. ¡Cómo siento que no me encontrara en París viviendo tan cerca de nosotros! Nada de todo esto habría pasado. —Suspiró y sacudió la cabeza. Estuvo un buen rato en silencio. Y luego continuó—: En fin. Tal como lo veo, ahora tenemos dos o tres cosas importantes que hacer. Primero, debemos asegurarnos de que ese embarazo va bien y sin sobresaltos. Un colega mío en la facultad es ginecólogo y le pediré que se ocupe de ti. Sé que lo hará encantado.

—No sé lo de los sobresaltos, papá. Lo estoy pasando fatal...

—Mamá lo explicará mejor, pero, si no recuerdo mal, esto no suele durar más de tres meses como mucho. ¿Verdad, Virginie? Son espantosos, pero se pasan y todo se olvida. El único dolor que se olvida de verdad es el del parto. Tu madre se pasó vomitando un trimestre y luego... —Sonrió—... Naciste tú. Llegaste dando guerra y, por lo que cuentas, sigues dándola. Y dime, cuando encontremos a tu Manuel, ¿tendré que enfrentarme a él con la escopeta de caza o se dejará conducir dócilmente al altar? —Reímos todos—. Ese es el otro problema —continuó—. Si sabéis que salió de Les Baux dirigiéndose hacia acá y no ha llegado, tenemos que averiguar lo que pasó. Tranquilízate, Wizzie, que aquí no ha habido acciones de guerra desde hace meses. —Bajó la mirada y resopló—. Desde la capitulación, desde la rendición de Pétain...

—El mariscal lo ha hecho por Francia —dijo Olga tímidamente.

—No sé yo, Olga —la reprendió con una severidad no exenta de dulzura—. Tal como lo veo, al entregarse ha mancillado el honor de Francia. —Olga se llevó las manos a la cara—. Pero dejémoslo. Intentaré averiguar si Manuel ha tenido algún problema con la policía o con los gendarmes en un control de carretera... Creo que me puedo enterar.

—Y ahora —interrumpió mi madre—, todos a la cama. Wizzie, tienes una cara horrible. Se os ve a las dos cansadísimas. Todos debemos dormir y reponernos de tantas emociones. Te voy a preparar un baño y cuando estés en la cama, iré a remeterte las sábanas. —Sonrió—. Como cuando eras niña y a la mañana siguiente no querías ir al colegio.

Luego estuvimos un buen rato hablando mamá y yo. Vino a arrebujarme, como solía hacer tantos años antes, y se sentó a charlar en el borde de la cama. Estuvo así, acariciándome una mejilla y contándome cosas en voz baja, cosas de París, del viaje hasta Clermont, de la vida allí, hasta que me fui quedando dormida. Me parece que me dio un beso en la frente.

Soñé con Manuel, que me acariciaba.

Dormí como un tronco y me desperté tarde. Mi padre ya se había ido a la universidad. Estuve un momento sin moverme en la cama para que no se despertara mi enemigo. Lo retrasé todo lo que pude, un par de minutos, y después, de pronto, no tuve más remedio que correr al baño. Odiaba los vómitos. Quería engañarlos para que se olvidaran de mí, pero enseguida volvían con renovada violencia. Habría dado lo que fuera para que Manuel pasara conmigo este tiempo, sin despegarse de mí. ¡Ah, su ternura de amante!

Olga dijo que tenía que regresar a Vichy y mamá le aseguró que no corría prisa alguna y que podía quedarse el tiempo que le apeteciera. «No, no —insistió Olga—, debo irme. No puedo dejar mi casa sola y sin atender; por mucho que me haya divertido este viaje improvisado, debo volver».

La mañana se nos fue en charla insulsa, esperando en realidad a que volviera mi padre con alguna noticia de Manuel.

Llegó al mediodía. Sin llegar a apoyar la cartera encima de la mesa del recibidor, dijo:

—Ya lo he averiguado, Wizzie. Por lo que me dicen, Manuel de Sá fue detenido en un control de gendarmería a la entrada de Clermont. Iba con un compañero, un tal Domingo, ah, sí..., del que nos hablaste ayer. A la mañana siguiente fueron embarcados en un tren que iba hacia Perpiñán...

—¡Oh, Dios mío! —exclamé—. Los han enviado a España.

—No. Los han mandado a uno de los campos de refugiados españoles que hay cerca de la frontera...

—Pero, pero ¿por qué los detuvieron?

—Órdenes de Bousquet, ese colaboracionista miserable que creíamos amigo hasta hace bien poco.

Olga se llevó las manos a la cara, espantada:

—Es, me parece, jefe de la policía de Francia...

—No creo que nadie pueda ser jefe de nada si está a las órdenes de los nazis, Olga.

—Bueno, no sé...

—Debí imaginármelo —interrumpí—. Bousquet fue el que hizo presión sobre Manuel para que revelara el paradero de Philippa en París. Cuadra, ¿no?

—Cuadra —dijo papá.

—¿Y qué pasa con los que internan en esos campos?

—No sé muy bien, Marie. Por lo que me han contado, les ofrecen tres alternativas: o se enrolan en las brigadas de trabajo más o menos forzado para ir a las fábricas en Alemania, o se alistan en la Legión Extranjera y los mandan a Argelia, o les ofrecen volver a España. Me dicen que vuelven a España sobre todo las mujeres y los niños; prefieren morir de hambre o de miedo en sus pueblos a andar deambulando sin rumbo por Francia. Los más afortunados consiguen llegar a Le Havre y embarcarse en alguno de los transatlánticos que van a América.

—¡Dios mío! Conociendo a Manuel, tal como está de ánimo, se habrá enrolado en la legión y ya estará rumbo a África. Y conociendo a Domingo, habrá intentado que se escapen los dos para venir hasta aquí... ¡Qué angustia! ¿Cómo lo buscamos ahora? ¡Lo tengo que encontrar!

—Hay que pensar que él intentará buscarte... No es fácil, lo sé, pero desde donde esté, lo hará... Y tú no debes moverte de aquí para que no sigáis jugando al escondite.

—No estoy muy segura de que me busque, papá, porque cree que no le perdono y que no quiero volver a verlo.

—Ah, bah, Wizzie. Esas cosas se olvidan con facilidad —dijo mi madre—. En el dolor y el miedo de la guerra, lo normal es volver a las cosas fundamentales, a los primeros amores, a la fuerza de las convicciones. En las peores situaciones, las personas se refugian en el alma y en el recuerdo. ¿Va a recordar Manuel una pelea dolorosa y olvidar el amor que os tenéis? No. La guerra lo mata todo menos lo esencial, incluso si lo cubre un manto de terror.

—La guerra es estúpida —añadió papá—, y esta lo es aún más. Francia, un país sometido a otro sin batallas. Solo con derrotas. Y luego llaman libre a esta zona de nuestra patria. No quedan ya batallas. Solo sufrimiento, hambre, deportados, persecuciones. Miradnos a nosotros, y se diría que nos hemos acostumbrado mansamente a estas humillaciones sin pelotón de ejecución... todavía. Hasta se diría que no hay guerra ahí afuera y que lo único que se pide de nosotros es resignación.

—¿Y tú estás dispuesto a resignarte, papá?

—¿Resignarme? Jamás. Aunque no lo parezca, porque los cañones están silenciosos en nuestra Francia, hay guerra ahí fuera, guerra con muertos, cañonazos y trincheras. A nosotros solo nos toca la regeneración de la patria del mariscal y que nos persigan los moralizadores apoyados como siempre en la violencia. Pero algún día la guerra, con sus muertos y su destrucción, llegará hasta aquí. Aviones bombardeando nuestras ciudades y tanques destrozando nuestros campos y segando las vidas de nuestros jóvenes. Olga, si usted cree que Pétain nos está protegiendo de todo eso y que evitará el baño de sangre que se nos viene encima, está muy equivocada.

—¡Oh, Dios mío!

—Pero entonces, ¿qué se puede hacer, papá? Porque en Vichy habíamos empezado a crear un grupo de protesta. Intentábamos publicar un periódico y pegar pasquines por las paredes, pero no funcionaba muy bien, sobre todo porque éramos muy pocos. Y en cuanto Manuel y yo nos fuimos a París, se acabó.

—¡Ah, pero es por ahí por donde se empieza, Marie! Ya sé que hay grupos que van surgiendo por doquier...

—¿Y tú aquí?

—También esta zona es muy activa aunque es poca cosa todavía, pero... —Sacudió la cabeza—. Surgen por todos lados: en el sur, en el este, hasta en París. En París está el grupo Museo del Hombre, fundado por intelectuales comprometidos en defensa de la libertad. Luego hay otro de comunistas y anarquistas, que se dedican a establecer una red de contactos para recabar información sobre instalaciones militares alemanas para lo que pueda servir en el futuro; ayudan a pilotos ingleses a volver a Londres, imprimen pasquines, como vosotros en Vichy. Publican un periódico llamado *Résistance*, bueno, un periódico de un par de páginas, por supuesto. Y hace un par de meses aparecieron en París dos periódicos más, *Pantagruel* y *Libre France*. Otro grupo pega pasquines en el metro... Hay de todo. Estos resistentes son profesores, militares, empresarios, estudiantes, sindicalistas, lo que quiere decir que a lo largo y a lo ancho de Francia mucha gente empieza a rebelarse. Será duro, porque los nazis los perseguirán con verdadera saña cuando empiecen a ser realmente molestos, cuando empiecen los sabotajes y haya muertos alemanes. Eso llega seguro. Todavía no, porque les ha pillado por sorpresa. ¡Que les planten cara a ellos que son los vencedores! Menuda osadía. Habrá, sí, persecución, tortura, fusilamientos... He oído que, hace poco, un chico atentó contra un diplomático alemán y lo mató de un tiro en un andén del metro de París. La represalia tardó unos días en llegar pero fue terrible.

—¿Les dará tiempo a conseguir algo? —preguntó Olga—. Porque dicen que la guerra se acaba dentro de unas semanas y entonces ya no valdría la pena...

—No, Olga. Esto no se acaba así como así. Habríamos podido creerlo antes del verano, pero la resistencia inglesa a la invasión de Hitler, la batalla aérea sobre la Mancha que los alemanes no pudieron ganar nos marcaron el camino, nos enseñaron que es preciso luchar pese a todo. Nadie nos derrotará si decidimos resistir.

—¿Y vosotros aquí? —insistí.

Mi padre titubeó.

—Poco a poco —dijo luego—. No somos soldados, hija, y debemos prepararnos con cuidado para que nada de todo esto acabe en un derramamiento de sangre inútil. Nuestra sangre tiene que ser derramada, no desperdiciada.

—¿Y eso qué quiere decir?

—Estamos en la más absoluta oscuridad. —Se rascó la barbilla—. Vivimos en la oscuridad y no solo porque la opresión es más tenebrosa de noche que de día. Por culpa de la ocupación alemana nos es imposible saber lo que piensa, lo que opina nuestro vecino de al lado. Es muy difícil aventurarse porque siempre existe el riesgo de ser traicionado con las consecuencias que podéis imaginar.

Tenemos que buscar... resplandores en la noche, pequeños destellos que nos permitan establecer contactos: viejos amigos, antiguos colegas... Que yo participe en la Resistencia, sí, hija, que yo participe en la Resistencia no es una fase de mi vida; es una constante: he entrado en los movimientos de Resistencia llevando conmigo lo que es toda mi vida, un *continuum*. Soy un resistente desde siempre, desde que, habiendo ganado una medalla militar en la Gran Guerra y habiendo sido ascendido a comandante por defender mi patria, me hicieron saber que yo no era ya francés. De pronto yo era judío y debía ser castigado por ello. —Lo dijo con violencia, con intensidad, casi como gritándolo en voz baja, con la voz quebrada de furia.

Me latía el corazón alocadamente. ¡Era mi padre quien hablaba así! Además de valiente, todo me pareció terriblemente romántico. Papá me miró directamente a los ojos y, como si hubiera podido leer mi pensamiento, añadió:

—Nada de todo esto es romántico, Marie, nada es una aventura exótica. No recibimos mensajes de Londres, nadie nos entrega armas tirándolas en paracaídas, no desciframos mensajes utilizando códigos sofisticados. Nada de eso. Por no saber, ni siquiera sabemos cómo sabotear un tren, aunque se nos ocurriera hacerlo, y los ferroviarios no se fían de nosotros. Hemos establecido contacto con el general De Gaulle en Londres, pero todavía no han podido ofrecernos ayuda. Llegará, pero todavía no. Todo esto requiere un mínimo de organización y mucho arrojo... y muchísima prudencia porque no solo luchamos contra Alemania, sino también contra una parte muy sustancial de Francia. Hablar el mismo idioma tiene con frecuencia graves inconvenientes.

Mi madre, sentada al lado de papá, le acarició la mano. Al cabo de un momento, él la cogió entre las suyas con un gesto de tal intimidad que se me saltaron las lágrimas.

Buf, estaba hecha una llorona.

12

Manuela nació el 11 de agosto de 1941.

Pesó tres kilos y medio y enseguida hizo muy sonora su protesta por cualquier cosa, especialmente a la hora de reclamar su comida ocho o nueve veces al día. Era chiquita, con la cabeza perfectamente redonda y unos enormes ojos azules. «Será pelirroja como tú», dijo mi madre sonriendo.

—No soy pelirroja.

—Sí que lo eres y además se llenará de pecas, como tú.

—No. Se parecerá a Manuel, con el pelo negro y la nariz recta y grande.

—Bueno, no lo puedo asegurar porque no le conozco, pero estaría dispuesta a jurar que esos ojos son tuyos y no los de un gitano español cualquiera.

Me reí.

—¡Pobre mi amor! Es tan gitano como yo china de Pekín... —Me encantaba jugar a que tenía una vida familiar normal y a que Manuel aparecería por la puerta en cualquier momento. Luego me daba un ataque de angustia y cogía a Manuela en brazos, sujetándola como si fuera a escaparse de mi lado. «¡Ah, Manuel, dónde estarás! ¡Qué tristeza que no sepas que eres padre de mi hija! ¿No te habrá dado de pronto un vuelco el corazón sin saber por qué? ¡Soy yo! ¡Es nuestra Manuela!».

Escribí unas líneas apresuradas a Olga para darle la noticia y volver a agradecerle sus generosos desvelos y encomendé la carta a un colega de mi padre que viajaba a Vichy por unos días. Cuando volvió, traía una respuesta entusiasmada de Olga prometiendo una visita en cuanto pudiera.

Así pasamos las primeras semanas, completamente seducidas por la pequeña Manuela, sin cansarnos de mirarla y llevarla en brazos de aquí para allá para calmar sus llantos y extasiarnos ante sus pequeñas sonrisas y sus gorjeos. Yo le daba pecho (algunas veces, muy pocas, me preguntaba qué le parecerían mis pechos a Manuel ahora que estaban enormes; ¿se sentiría defraudado al volver a ellos? Si jamás volvía, Dios mío). Mamá lavaba pañales sin parar mientras prometía que pronto iríamos a visitar a mi abuela palestina a Haifa para tumbarnos debajo de una palmera sin pensar en nada que no fuera el calor del sol. Todos esos propósitos eran tan sensuales que me llenaban de ensoñación, hasta que recordaba que esto era la guerra y que los bombarderos alemanes, volando bajo de camino a no se sabía dónde, tapaban la luz del sol de la mañana con sus alas de pájaro de mal agüero.

Papá había dado clase en la universidad hasta final de curso y ahora trabajaba en un libro histórico de denuncia de la debilidad francesa frente a los enemigos tradicionales. Como consecuencia lógica de esta debilidad, pretendía analizar lo que había provocado la rendición de Francia y la instalación del absurdo régimen de protectorado de Vichy, liderado por un viejo insulso como el mariscal. A veces me dejaba leer algunas páginas de su libelo, las recién escritas, y siempre me parecía que la concatenación de ideas y acontecimientos era de una lógica impecable y, como siempre en el caso de mi padre, de gran erudición y, lo más difícil, sencillas de leer.

Eran unos días tan apacibles que para derretirme del todo habría bastado la sola presencia de Manuel, un regalo impensable, o siquiera una noticia de su paradero, incluso si me hubiera sido apenas sugerida en voz baja sin que nadie la confirmara. Pero ¿por dónde empezar a buscarlo? ¿En medio de la gran confusión reinante? Maldecía el destino que lo había traído hasta casi la puerta de casa para arrebatármelo después. ¡Bah!

Poco antes de que se reanudaran las clases en la universidad, mi padre anunció que debía ir a Lyon por unos días. Visitaría a un viejo amigo, el profesor François de Menthon, catedrático de derecho en esa universidad, que unos meses antes había fundado el primer periódico clandestino de la Resistencia, *Liberté*, que tenía como lema una cita del mariscal Foch: «Una nación solo es conquistada cuando acepta la derrota». En casa leíamos el periódico cada vez que salía. Me chocó que fuera tan tibio con el antisemitismo, pero, en fin, el sentimiento antijudío no era nada nuevo en esta Francia en la que coleaba el asunto Dreyfus que había dividido al país en dos a principio de siglo. Durante mis años de universidad tuve colgado en mi pared un facsímile del *J'accuse* de Zola, el artículo que había reventado el tema Dreyfus exponiendo toda su suciedad.

Liberté no traía muchas noticias; su contenido lo constituían más bien artículos de opinión, llamamientos a la acción y al sabotaje e información sobre lo que ocurría en Londres, en donde se encontraba el núcleo dirigente de los franceses libres del general De Gaulle. Nos reímos mucho un día en que nos dijeron que los ingleses, que no sentían especial simpatía por él, decían que el general tenía la cabeza como una piña tropical y caderas de mujer.

El caso es que me enteré así de la existencia en Londres de un núcleo patriótico radicalmente distinto del de la Francia de Vichy. Londres pretendía dirigir nuestra lucha del interior y poco a poco lo estaba consiguiendo. Fue una revelación sentir de pronto que no estábamos solos en la guerra contra el ocupante alemán. Ese día, lo recuerdo bien, decidí que Hitler iba a perder. No sé de dónde me salía el optimismo, a lo mejor me lo provocó contemplar la carita de Manuela haciendo una mueca cómica que desmentía cualquier negro presagio. A lo mejor fue la voluntad feroz, como de una loba, de defender a mi cría contra todo, como si con ella en brazos nada pudiera derrotarme. A lo mejor fue el angustioso recuerdo de Philippa, secuestrada por la Gestapo y reclamando la venganza que era inevitable. No sé, pero por encima de todo, seguro que el optimismo lo alimentaba mi letargo feliz de madre de un bebé adorable. No sabía lo pronto que el destino me castigaría por ello.

—¿Guerra contra el ocupante alemán? —dijo papá—. No, Marie. Esto no va solo contra ellos. Tienes que comprender que esta guerra clandestina contra Alemania es al mismo tiempo una guerra civil contra Vichy y todo lo que representa.

—Eso ya lo sabía cuando estaba allí, sobre todo por lo asfixiante que me resultaba esa Francia beata de ambiente moral irrespirable. ¡Qué me vas a contar que no supiera, si fueron los propios franceses los que nos traicionaron en el asunto de la pobre Philippa! Pero, al venir aquí después de París... habiendo visto allí a los alemanes sintiéndose superiores, despreciándonos, ocupándolo todo como si fueran los dueños, francamente, papá, me parecía que esta guerra tenía que ser principalmente para sacudirnos el yugo nazi antes que para mandar a Pétain a una residencia para ancianos y cobardes inútiles...

—Pues no, hija. Nuestra lucha es contra todos los que ocupan nuestra patria. Estamos construyendo la Resistencia con erre mayúscula y es indispensable que la definamos ideológicamente para mantener viva la llama de la liberación. Luchamos contra Vichy, contra Hitler, contra los colaboracionistas, contra los antisemitas, contra los fascistas..., todos. ¿Me entiendes? No hay medias tintas, no puede haberlas. Ese es el eje ideológico de nuestra lucha.

—Pero eso ya lo sabemos, Daniel —dijo mamá.

—Lo sabemos nosotros, Virginie, pero lo tienen que comprender todos, todos los que se quieran embarcar en la liberación de Francia.

—¿A qué vas a Lyon, papá?

—Bueno, creo que vamos a hacer dos cosas. Por un lado, me parece que debemos publicar, también nosotros, un periódico. —Sonrió—. Bueno, periódico... En fin, un periódico también para esta región, aunque sea de un par de hojas mimeografiadas. No tenemos muchos medios, ni tinta, ni papel, ni distribución, pero precisamente por eso es necesario tener periódicos locales fácilmente accesibles que animen a la gente local a resistir. He propuesto que se llame *Franc-Tireur, Francotirador...*

—¡Qué buen nombre, Daniel!

—Bonito, ¿eh?, sugestivo. Indicativo de la lucha que tenemos que librar.

—Pero eso es peligroso, papá. Publicar un periódico casi a la vista de todos...

—¿Por qué? Creo que todo el mundo por aquí sabe que hay una resistencia montada y probablemente no le dan mayor importancia. Para ellos es una especie de disensión de unos cuantos con Vichy. Como si fueran una parte de la población que vota o votaría contra Pétain. Bah, poco más. Pero nosotros a lo nuestro, sabiendo bien que todo esto no es una lucha política sino una guerra; no vamos a sustituir a los pétainistas en un parlamento, vamos a acabar con ellos físicamente...

—¡Papá!

—Así es la guerra, hija, y, cuando quieran darse cuenta, la habremos ganado, Vichy habrá desaparecido, los colaboracionistas habrán huido, seguro que a España, y estará aquí la Cuarta República...

—Te veo muy seguro, Daniel.

—Lo estoy.

—¿Y la segunda?

—¿Cómo?

—¿La segunda cosa que vas a hacer en Lyon?

—Sí, sí, claro. La segunda. La segunda es constituir formalmente un grupo de resistentes, una red que informe y reciba información, que espíe todo lo que pueda y avise de los movimientos de tropas alemanas, de los convoyes... Bueno, lo que es una red de organizaciones de la Resistencia, unas en la zona ocupada y otras en la zona libre.

—¿Y eso no va a crear mucha anarquía? Porque si el mando central está en Londres, ¿cómo van a darnos instrucciones coordinadas a todos? Eso supone un montaje muy complicado, ¿no?

—Anarquía, descoordinación, de ninguna manera. Estamos en guerra, Marie, y lo que prima es que haya mucha acción, por dispersa que sea, cada una en su región. Hay que mantener ocupados a los nazis todo el tiempo en todos sitios. Piensa un poco: para los alemanes, la ventaja de la ocupación en Francia es que los servicios fundamentales los cumplen los franceses: policía, administración, intendencia. —Torció el gesto—. Control de los judíos, vigilancia y represión... Nada de eso supone desgaste para las fuerzas ocupantes, solo para las autoridades francesas, que son las que lo hacen. Por eso, la lógica del desgaste del invasor nos obliga al hostigamiento militar constante.

—¡Pero somos muy pocos, papá!

—El número de resistentes irá creciendo a medida que avance la guerra. Cuanto más ocupados tengamos a los alemanes, más tendrán que detraer de sus recursos militares y más se tendrán que implicar en el control civil de Francia. ¿Me comprendes? Más control civil, menos vigilancia de guerra.

Sonrió y extendió las manos como queriendo decir «Es así», para que comprendiéramos lo obvio de sus argumentos. Se le olvidaba el pequeño detalle de que la Gestapo era muy buena, muy brutal y muy eficaz en la represión de los civiles y que, probablemente, se bastarían por sí solos para controlar a la Resistencia. Tampoco sabíamos en ese momento que el entusiasmo patriótico de Francia iba a servir para crear un horror: la Milicia, aquella policía paramilitar y fascista que, a partir de principios de 1943, se convirtió en una segunda fuerza represora y, enseguida, en una temida banda de asesinos siempre dispuestos a hacer el trabajo sucio.

Durante todos esos meses viví una existencia de revolucionaria aburguesada, lejos y cerca de la guerra, sin que al parecer corriera peligro alguno. Con esto quiero decir que me ocupaba con pasión de mi pequeña Manuela, al tiempo que realizaba, cada vez más, misiones de la Resistencia en las dos zonas. No eran gran cosa ni demasiado peligrosas pero a mí se me antojaban muy románticas, como si yo fuera la Pimpinela Escarlata. Me parecía que eran fáciles de llevar a cabo: llevar mensajes, distribuir periódicos, informar de movimientos de trenes y convoyes, cosas así. El único riesgo al principio era que nunca sabías con quién tratabas y, por supuesto, ignorabas si tu interlocutor era amigo o enemigo. A veces, para nuestra sorpresa, un gendarme nos guiñaba el ojo en lugar de acosarnos a preguntas para luego detenernos, y murmuraba frases de ánimo dirigidas a la Resistencia o nos facilitaba el paso de una localidad a otra, de un bosque a otro o por un puente vigilado, librándonos de los controles;

era como jugar a la ruleta. Vivía anestesiada sin saber quién estaba situado dónde y sin darme cuenta a cada instante de lo cerca que estaba del desastre. Las descargas de adrenalina (puntuales cuando salía de casa a «realizar una misión») me mantenían activa e inconsciente. Y a las pocas horas volvía a tener a Manuela entre mis brazos y, lejos de todo, me volvía la calma.

Me movía por la zona libre actuando en nombre de *Franc-Tireur,* ahora ya convertido en grupo de la Resistencia. Creíamos que una chica joven como yo no tenía por qué levantar sospechas y que podría ir de un sitio para otro con bastante impunidad.

Un día de junio del cuarenta y dos, mi padre me mandó participar echando una mano como observadora de *Franc-Tireur* en el aterrizaje nocturno de un pequeño avión que llegaba de Londres esa noche. En él venían un líder de la Resistencia del sur, Emmanuel d'Astier, que regresaba con instrucciones para la coordinación de los diversos grupos, y un inglés experto en explosivos y en operaciones encubiertas que venía a montar una red de espionaje ligada a los servicios de inteligencia de Inglaterra. Con él, nos dijo mi padre, aprenderíamos a preparar sabotajes puntuales en trenes y centrales eléctricas y, cuando fuera posible, ataques guerrilleros a convoyes alemanes. También le ayudaríamos en sus movimientos por Francia. Nada de esto iba a ser inmediato: los dos viajeros (que además, según me dijo papá, traían una radio para comunicar con Inglaterra y que quedó instalada en casa) tenían el propósito de formar grupos bien entrenados que solo después de un periodo de organización podrían lanzarse a lo que se nos iba a pedir. Ahora sí que empezaba la guerra para nosotros. Mi guerra. Mi guerra contra los que me habían quitado a Manuel. Mi revancha por la injusticia de todo. Por Francia. Habría podido gritar de entusiasmo.

Luego, ya en la noche sin viento, iluminada por la luna, escondida entre los árboles de un bosquecillo al sur de Mauriac, a un centenar de kilómetros de Clermont, me entró un miedo cerval. Sabía que mis compañeros estaban cerca de mí, pero igualmente podrían haber desertado, tal era el silencio que mantenían. Unos estaban apostados en línea recta a mi derecha de cuarenta en cuarenta metros hasta los trescientos o trescientos cincuenta que conformaban un antiguo pasto cubierto de hierba; y otros se encontraban en una hilera paralela a unos treinta metros de nosotros, formando así una improvisada pista de aterrizaje. Pero cualquier ruido en la hojarasca me sobresaltaba y me hacía mirar a todos lados con verdadera angustia y sujetando con desesperación la pistola que me había sido dada —«Solo para tu defensa, como último recurso; ni se te ocurra ponerte a disparar a tontas y a locas»—; las manos me temblaban incontrolablemente. Estábamos en zona libre, era bien cierto, pero yo no acababa de creerme que en plena guerra, con el país derrotado y ocupado por el enemigo, esta zona del centro de Francia estuviera a salvo de la Wehrmacht. No me fiaba. Hasta ahora los alemanes no habían cruzado la línea de demarcación hacia el sur, respetando así el armisticio firmado por Pétain, pero nada les impedía saltárselo. Al fin y al cabo, ellos eran los dueños de Francia. Así fue, claro: en noviembre de ese mismo año, cuando se cansaron, suprimieron las dos zonas y se instalaron como ocupantes en todo el país.

Nuestra misión aquella noche no estaba libre de peligro, por lo menos a mí me lo parecía: se trataba de encender unas pequeñas hogueras que, vistas desde el aire, señalaran el camino para que el avión pudiera posarse en la hierba, dar la vuelta y despegar de nuevo pasados no más de un par de minutos. Una operación que debió de repetirse decenas de veces durante la guerra pero que era nueva para nosotros.

Estuvimos una hora y media escondidos en la maleza aguzando el oído, atentos al bordoneo del avioncillo cuando se aproximara.

El jefe de nuestro grupo era un hombretón tosco y rudo, de nombre de guerra Yves, Jean Claude en realidad, que fumaba continuamente cigarrillos liados de picadura y se tocaba con una gran boina negra. Llevaba pantalones de pana muy gastados, lo recuerdo, y camisa de cuadros.

En torno a las dos de la madrugada oímos por fin el ruido lejano del motor del avión que se acercaba. La noche era perfecta pero, pensé, también lo era para cualquier adversario vigilante. No había adversario vigilante, sin embargo, porque esta misión era la primera que se realizaba en esta parte del país y, por consiguiente, nadie se la esperaría. Seguramente.

El jefe dio un silbido suave, la señal para que, pasados tres minutos, encendiéramos todos nuestras pequeñas hogueras.

Así lo hicimos y de pronto se iluminó vivamente entre los árboles que la flanqueaban una avenida ancha de prado en la que con facilidad habría podido aterrizar un bombardero. En el momento en que hubiera tocado tierra, debíamos apagar los fuegos.

La avioneta, que era más grande de lo que creía, se posó suavemente con el motor al ralentí y rodó hasta el extremo de la improvisada pista en el que me encontraba yo. Todos acudimos corriendo al lugar en el que se había detenido. Traía la portezuela ya abierta y por el hueco del fuselaje asomaron dos hombres. Uno saltó a tierra y se volvió para coger los fardos que le entregaba el segundo, que, terminada la descarga, también saltó a tierra.

Sin esperar a más, el piloto aceleró y a los pocos segundos estaba en el aire y desaparecía por encima de la línea de los árboles.

D'Astier, el más corpulento de los dos, nos estrechó la mano a todos uno por uno, mientras el inglés, que era muy delgado, rubio y tenía una gran nariz (me pareció bastante joven), nos saludaba con más solemnidad inclinando secamente la cabeza hacia nosotros. Dijo llamarse John Smith. Los dos viajeros se detuvieron junto a Yves para preguntarle el plan de acción y este, encogiéndose de hombros, dijo que no sabía nada y que recibirían información y planes de movimiento cuando llegaran a casa del profesor Weisman en Clermont.

Entre todos ayudamos con los fardos. Los fuimos transportando a la orilla del bosque y después, entre la maleza, hasta el claro en el que estaba la camioneta del jefe del grupo. No pesaban demasiado pero eran engorrosos de manejar.

Al llegar al claro, me detuve a recuperar el aliento. Nos habíamos movido casi corriendo por el bosque, tropezando varias veces en la oscuridad, pese a que por entre las ramas de los árboles podía distinguirse la luna iluminándolo todo con una luz difusa y blanca. La noche había sido escogida antes del plenilunio precisamente porque se pensaba que el enemigo estaría preparado esperándonos en la luna llena y no en otro momento.

Quieta, apoyada contra un árbol, miré a mis compañeros de aventura. Llevaban la cara tiznada y también jadeaban. A mí, el corazón me latía a toda velocidad. Me repetí: «Aquí está; ¡por fin mi primera, mi verdadera acción de guerra!».

—¿Qué hay en los fardos? —preguntó uno de los cuatro jóvenes, que por lo que nos habían dicho eran estudiantes de la universidad.

—Preguntáis demasiado —contestó Yves.

—No, hombre, si tampoco pasa nada por preguntar.

—Un trasmisor de radio y diez metralletas —dijo D'Astier—. Con munición —añadió.

Eso nos calló a todos. Era impresionante pensar que nos habíamos convertido de golpe en un grupo armado.

Otro muchacho, llamado Pierre, que era vecino de casa y tenía pinta de ingenuo, dijo tímidamente:

—Nunca me he subido a un avión. —Y le salió un gallo horroroso.

Volvimos a Clermont por pequeñas carreteras comarcales, apilados todos en la camioneta de Yves como si fuéramos sardinas en lata y con los fardos aplastándonos las pantorrillas y los pies.

—No temáis nada —dijo Yves—. El gendarme que vigila el camino esta noche es cuñado mío.

MANUEL

AGOSTO DE 1944

13

El 17 de agosto del cuarenta y cuatro pudimos descansar por fin en Écouché. Lo habíamos tomado a la caída de la tarde tras cuatro días de combates. Había sido durísimo.

Llevábamos en suelo francés desde el día 1. Habíamos desembarcado en la playa bautizada Omaha por los americanos, en Normandía, en la costa atlántica de Francia, a poca distancia de Le Havre. Omaha, la misma del gran desembarco americano del 6 de junio. Lo nuestro, comparado con las bajas sufridas por los yanquis, fue un verdadero paseo. Pero habíamos esperado tanto meciéndonos (bueno, sacudidos por las olas) en un barco antes de pisar la playa y la maniobra había sido tan lenta que no sé a quién se le ocurrió cantar: «La cucaracha, la cucaracha ya no puede caminar». Y así llegó La Nueve a Francia, muchos vomitando pero casi todos cantando alegremente. Y yo, más que ninguno.

Junto con otras tres compañías, los de La Nueve íbamos en el tercer batallón del regimiento de marcha del Chad (no dejamos que nadie nos quitara el apellido de leyenda), que había sido dividido en agrupamientos tácticos autónomos, como los de los gringos: el batallón, un regimiento de carros, un grupo de artillería, otro de caza carros y otro de reconocimiento, con sus compañías en medio. Domingo exclamó:

—¡Joder! Si hubiéramos tenido todo este tinglado con este armamento en España, Franquito estaría nadando ahora por las costas de Portugal y yo sería ministro de la Guerra... Ya ves.

Nuestro bautismo de fuego fue el 8 de agosto.

Desde nuestro desembarco en Omaha, como segunda división acorazada de Leclerc (la friolera de cuatro mil vehículos), nos dirigimos a toda velocidad hacia el sur, hacia la abadía del Mont Saint-Michel, y de allí al este hacia Le Mans. Zigzagueábamos entre las tropas alemanas y, escondidos en los bosques y desniveles y en los senderos frondosos, las desbordábamos y de pronto dábamos la vuelta y les hacíamos encerronas en las que destruíamos todo lo que pillábamos, camiones, tanques, blindados... y hacíamos prisioneros, a montones. Los nuestros eran movimientos relámpago, tras los que seguíamos avanzando muy deprisa para no perder el ritmo. «Encarámate al acelerador, Nuncio, y quita el pie del freno», me decía el teniente Granell. Recorrimos los doscientos kilómetros entre Avranches y Le Mans y luego hacia el norte, hacia Alençon, sin parar. Durante tres días con sus noches, la 2ª DB avanzó sin descanso. Y La Nueve delante.

Nos abríamos paso disparando ametralladoras y cañones continuamente, en medio del polvo, el ruido ensordecedor de las explosiones, las armas al rojo vivo y el olor a pólvora y a miedo. Lo peor, al menos para mí (puesto que ninguno de nosotros pensaba en la probabilidad de la muerte), era ver morir destruidos como peleles a los soldados alemanes, arrancados sus miembros, destrozados sus rostros, abiertas grandes heridas en sus pechos, perdidas las piernas, bombeando sangre por arterias reventadas. Quedaban en las cunetas tirados como marionetas abandonadas o les pasaba por encima con la oruga sin poderlo evitar; menos mal que, con el infierno que nos rodeaba, no emitían sonido alguno o yo no lo oía. No olvidaré ese avance, no olvidaré aquella carnicería sin cuartel. ¡Qué estupidez que estuvieran ahí esos pobres diablos aguantando a pie firme lo que sus jefes no merecían! Aún hoy, años después, recuerdo todo aquello y me despierto algunas noches sudando un sudor frío, con bilis en la boca y vómito en la garganta. Pero seguíamos impertérritos, con ferocidad infinita, sin detenernos, incluso cuando un proyectil de ametralladora atravesó el ventanillo practicado en el blindaje del parabrisas de mi camión, una mirilla de diez centímetros por quince, y no me dejó seco por los pelos. Solté una blasfemia, agarré el volante con mayor fuerza y aceleré. Iba aterrado.

El 9 de agosto murió en combate el primer compañero caído en Francia, Andrés García. Buen chico, como el Pirata, valiente y decidido. Le volaron la cabeza cuando se bajaba de mi cabina para ayudar a quitar un tronco que obstruía la calzada. Pudieron haber matado al comandante Putz, que, habiendo hecho hasta ese momento todo el camino a mi lado, se bajaba también a la carretera. Durante un largo instante cogió a García en brazos y lo sujetó contra su pecho hasta que Domingo le dijo con voz tranquila: «Está muerto, comandante». Entonces Putz mandó que lo subieran a la trasera del camión. «Ya lo enterraremos —dijo—. Pobre muchacho».

Pues, pese a todo, en esos días de batalla y sangre, a los españoles de La Nueve, yo incluido, nos salió el espíritu comercial. Organizamos un mercadillo con los americanos. Nos habían dicho que se peleaban por conseguir prisioneros alemanes: cuantos más tuvieran, más medallas les ponían y sus jefes hasta les daban permisos especiales. Menudo zoco. Cinco soldados alemanes por un bidón de veinte litros de gasolina, diez por dos pares de botas de media caña, veinte por una ametralladora, tres oficiales de estado mayor por una motocicleta y, amigo, un general alemán que capturamos en Laval por un *jeep*, dos botellas de whisky, cartones de tabaco y un montón de latas de conserva. Aunque nuestros jefes lo sospechaban y nos lo tenían prohibido, nunca quisieron averiguarlo seriamente para no tener que castigarnos en plena campaña.

Después de Alençon, la 2ª DB fue dirigida hacia Écouché, atravesando un gran bosque, para intervenir en lo que luego se conoció como la eliminación de la bolsa de Falaise, a unos cincuenta kilómetros tierra adentro desde la playa de Omaha. Los americanos habían encerrado allí al 7º ejército alemán y a la 5ª división *panzer*. La bolsa tenía forma de un saco enorme con una única salida hacia el este, que era por donde querían escapar los alemanes. No lo tenían fácil: fue allí en la Falaise, precisamente allí, en esos días de agosto de 1944, que Alemania perdió la guerra. Allí estábamos nosotros, el regimiento de marcha del Chad del general Leclerc y delante de todo, La Nueve, preparada para asaltar Écouché, que era el punto neurálgico designado para cerrar el corredor por el que quería escapar la Wehrmacht en dirección a Alemania.

El 12 de agosto, el capitán Dronne vino a decirnos que al día siguiente entraríamos nuevamente en acción para romper la bolsa en Écouché. Nosotros, los ciento cincuenta españolitos, nuevamente en vanguardia. Pero no nos molestaba. Al contrario, para eso estábamos en guerra.

—Estáis aquí los de La Nueve —nos dijo— porque habéis querido uniros, espontánea y voluntariamente, a la causa de la libertad. Sois verdaderamente combatientes de la libertad, como lo fuisteis en España, y por eso tenéis nuestra gratitud y admiración. Me enorgullece estar con vosotros y llevaros al combate y a la victoria. No os quepa duda de que derrotaremos a los nazis. ¡A por ellos!

Hubo una salva de aplausos.

—¿Y París? —preguntó uno al que llamábamos Gualda, un mecánico de Granada que indefectiblemente se dormía al volante de su oruga. En plena batalla.

—Siguiente etapa —contestó el capitán—. Esto será como el Tour de Francia: acabaremos en los Campos Elíseos dando la vuelta de honor.

—¡Eh, Nuncio! —me gritó otro llamado Zubieta, un boxeador que había sido campeón de España de los pesos gallo, y antes que boxeador, tonelero—. Yo con Gualda no voy, que un día nos mata a todos. Me voy contigo... Mi capitán —le gritó a Dronne—, asígneme al oruga del Nuncio, que va mucho más seguro. Como un carricoche, ¿eh?

El capitán sonreía.

En mi sección, que era la segunda, había varios tipos pintorescos. Uno de los más notables era el adjunto Garcés, un muchacho grande, valiente, tranquilo, de humor rápido y guerrero terrible en la batalla. En realidad se llamaba Martín Bernal, aunque en la vida civil había sido conocido con el nombre artístico de Larita II, matador de toros, sí señor. Contaba que, cuando le obligaron a alistarse en la Legión Extranjera francesa, como a los demás, protestó mucho: él no quería que le alistaran en l'*Armée*, que en España es la Marina y en Francia, el ejército. Decía que no servía para estar embarcado porque se mareaba. «Mareo te vamos a dar», le dijo un sargento francés. Y Garcés acabó en Sidi, en medio del desierto, como todos.

Luego estaba Paquillo el Gitano, que era un tipo renegrido, de pelo repeinado hacia atrás, más por porquería que por gomina. Llevaba la uña del meñique derecho extremadamente larga. Con ella se limpiaba continuamente la oreja y después se la pasaba por lo que le quedaba de la dentadura. La uña no se le rompió nunca hasta que llegamos a París. No hablaba francés, y después de la guerra vendía helados en los Campos Elíseos. «Aquí, dando la *vuerta de honó*», decía.

Mis hermanos, la gente más admirable que jamás había conocido. Valientes, generosos y casi imposibles de controlar hasta que no se les explicara de manera poco militar las razones de una acción de guerra. Entonces se volcaban y eran el mejor grupo de combate posible: rápidos, feroces sin alharacas, tácticamente imbatibles. Eran capaces de hacer la guerra sin que nadie les mandara, por consenso. Así, porque sabían cómo.

Había vuelto a fumar. No lo había podido resistir: los americanos con los que confraternizábamos nos regalaban cartones de Camel y chocolatinas Hershey's, siempre y cuando la mercancía no fuera parte de un trueque por alemanes. ¿Quién iba a resistir la tentación? «Bueno —me decía—, he vuelto a fumar, pero poco. Lo dejaré cuando encuentre a Marie, ay». Y así, burla burlando, caía una cajetilla o cajetilla y media al día.

Tumbado en el suelo y apoyado contra una de las enormes ruedas de mi oruga, fumándome un cigarrillo, era un hombre feliz: estaba en Francia.

—Eh, Manolo —dijo Domingo—. Estamos en Francia. Te lo dije, ¿no? Hemos vuelto, compañero, aquí estamos. Y vamos a encontrar a tu Marie y a la Angelines esa, que es mi novia y aún no lo sabe. —Rio con estrépito. Luego puso los ojos en blanco—. Me estoy manteniendo casto para ella.

—¿Casto? ¿Y la puta aquella de Orán? ¿Y la de Argel? ¿Y la inglesita de York con la que tomabas cerveza? ¿O era té?

—No me jodas, Manolo. Eso eran necesidades fisiológicas. No cuenta.

—Estás tú bueno...

A las cuatro de la madrugada del 12 de agosto, escondidos en el bosque al otro lado del río, estábamos listos para arrancar los motores y lanzarnos al ataque de Écouché, cuando de pronto llegó el *jeep* del general Leclerc. Con él venían el comandante Putz y un tipo rubio, bajito, bastante joven, vestido con ropa de campesino, al que no conocíamos. Nuestro capitán Dronne, que se disponía a emprender la marcha en mi camión-oruga, agarrado a la portezuela y con un pie en el estribo, se detuvo, volvió a bajar a tierra y saludó al general.

—Mi general.

—Dronne. ¿Listos?

—Listos.

—Le presento a Claude —dijo Leclerc, señalando al rubito—. Es el jefe del maquis, de la Resistencia, en la región. Tiene a su gente apostada para ayudarnos y atacar a los alemanes por la retaguardia cuando lleguemos nosotros. —Se volvió hacia mí—. Ah, *Manolo le Nonce*.

—Mi general —contesté haciéndole el saludo militar, llevándome la mano al casco.

—Vamos a hacer una pequeña excursión mañanera, usted con el... ah... —Se inclinó para mirar el letrero de mi oruga—... Sí, *Coito Habanero.* —Me parece que no sabía lo que quería decir—. Y con su sección. Putz y Claude vendrán con nosotros, Dronne se quedará con el resto de La Nueve. —Sonrió—. Mi banda de cosacos. ¿De acuerdo?

—Sí, mi general —dijo Putz.

—Pues vamos.

Sin más, el general, el comandante y el de la Resistencia se subieron a la cabina de mi camión-oruga y yo, aún sorprendido, me instalé detrás del volante. Ese día el teniente Granell iba manejando la ametralladora del techo. Nada le daba miedo.

—Arranque. Y vaya sin hacer demasiado ruido hacia el río Sarthe. —Sacó un mapa topográfico militar y, señalando con el dedo, añadió—: Aquí, a un par de kilómetros, al salir del bosque, esta carretera lleva directamente a un puente que hemos de cruzar todos, la brigada primero y luego, la división en pleno. Los que estamos aquí en este camión-oruga vamos a tomar el puente ayudados por nuestros valientes amigos y les vamos a dar a los nazis el susto de sus vidas. Luego alcanzaremos el río Orne, lo cruzaremos y atacaremos Écouché. Pan comido. Vamos.

—Sí, mi general.

Desembragué, pegué un acelerón, metí la primera marcha con la reductora puesta y arranqué. En cuanto la oruga salió de la cuneta y los matorrales, quité la reductora y aceleré. Enseguida volábamos a casi sesenta kilómetros por hora.

Debía de ser un espectáculo contemplar este armatoste llegando de pronto a toda velocidad con los faros encendidos y las ametralladoras disparando.

—¡Siga! ¡Siga! —gritaba Leclerc—. ¡No se detenga!

Sin parar atravesé el puente hasta la otra orilla. Al llegar a su extremo norte, paré el camión en la misma embocadura, de modo que nadie pudiera pasar. Los compañeros que iban detrás se bajaron a saltos y, doblados en dos, corrieron hacia la cabecera por la que acabábamos de cruzar. Disparaban como locos, más para intimidar que otra cosa: en aquel lado solo había un puesto alemán avanzado y su ametralladora apuntaba hacia el bosque y no hacia el puente. Los alemanes nada podían hacer: se rindieron sin disparar un tiro. Eran cuatro, muy jóvenes. Daban pena.

Nosotros, por nuestra parte, topamos con mayor resistencia. Los soldados de este lado eran más numerosos y estaban más alerta y mejor organizados. Mientras yo me movía lentamente hacia delante, Granell disparaba de forma continua contra los de la Wehrmacht y el sargento Fábregas, que iba a su lado, se aprestaba a sembrar todo aquello de granadas de mano. No fue necesario: los resistentes, nada más vernos cruzar el puente sobre el Sarthe, empezaron su ataque por la retaguardia. El asalto duró pocos minutos. Hubo muchas bajas entre los alemanes.

El general puso pie a tierra seguido del comandante Putz y de Claude. Leclerc miró a su alrededor, dio unos pasos para cerciorarse del estado en que habían quedado las tropas enemigas e hizo un gesto afirmativo a Putz, que se acercó a la cara un *walkie-talkie*.

—Todo en orden —dijo en el micrófono—. Despejado.

No tuvimos que esperar mucho: a los pocos minutos empezó a temblar la tierra y pudo oírse el retumbar de motores y el ruido *clic-clic* de las orugas y de las cadenas de los carros. Llegaba la 2ª DB precedida por el regimiento del Chad.

Me ordenaron que me pusiera a la salida del puente, como si fuera un guardia de la circulación, dirigiendo el tráfico para que no se apelotonara y no perdiéramos la iniciativa del ataque. Durante un rato largo estuvieron pasando camiones, tanques, *jeeps*, orugas, carros y la potente artillería que llevábamos. A mi lado se habían colocado una docena de maquis armados con metralletas; todos sonreían y me daban palmadas en la espalda. Algunos llevaban casco, pero la mayor parte iba con la cabeza descubierta o cubiertos con sombreros de fieltro.

—Los españoles de Leclerc, ¿eh? —me decían, mirándome como si fuera un bicho raro—. ¿Tienes tabaco?

Les di un par de cajetillas de Camel americano y enseguida todos se pusieron a fumar.

El general Leclerc se había ido con el primer convoy y el grueso de los resistentes franceses para atacar sin demora las posiciones alemanas atrincheradas en Écouché y aprovechar el elemento sorpresa. Los alemanes no pudieron resistir y fueron retirándose hacia el extremo del pueblo dejando atrás heridos, muertos y tanques y tanquetas destruidos. La victoria parecía total si no hubiera sido porque debíamos asegurar las posiciones de la división en el extrarradio de Écouché. Allá mandaron a La Nueve, y aunque sembramos todo aquel terreno de muerte y desolación, la resistencia alemana fue muy violenta. Lo describo con esta frialdad porque aún hoy me produce escalofríos recordarlo en su inmenso horror.

El enemigo contaba, además, con la inestimable ayuda de la aviación americana, lo que sarcásticamente se conoce como «fuego amigo», que se pasó media tarde ametrallándonos desde el aire. Salíamos al abierto de vez en cuando haciendo cortes de manga a los ases yanquis: con amigos así, no necesitábamos enemigos y Hitler podía respirar tranquilo. «Me voy a cagar en todos ellos —gritaba Domingo— y, cuando esto acabe, me voy a ir a Washington y voy a poner una bomba en la Casa Blanca. Es ahí donde está, ¿no?». En medio de aquello, de las incesantes y mortíferas pasadas de nuestros amigos y aliados, el teniente Granell se lanzó al medio de la calzada y con la ayuda de Domingo, que juraba en todos los tonos, extendió una sábana en la que puso con alquitrán: «Ejército francés, no enemigo». Al cabo de poco tiempo, los aviones dejaron de atacarnos.

En plena batalla, vimos que un grupo de alemanes encabezados por unos cuantos SS había conseguido zafarse del cerco. Dominarlos y derrotarlos era tarea del sargento Campos, que disfrutaba como nadie con estos incidentes. Con su oruga, Campos se lanzó a perseguirlos y, a la hora, los había diezmado y había capturado su armamento. Siguió adelante hasta un castillo que había en las afueras e hizo un montón de prisioneros nazis, al tiempo que liberaba a un grupo de gringos encerrados en los sótanos.

Campos. Vaya personaje, el más díscolo de La Nueve. Un veterano anarquista de la columna Durruti, hacía la guerra casi por su cuenta, con los españoles de su sección, la 3ª, e iba capturando armamento nazi que, decía, utilizaría en la guerra en España, adonde iba a marchar en cuanto acabara la de Francia, los americanos, los alemanes y todos los demás. De repente desaparecía con su oruga y marchaba a perseguir alemanes. A las pocas horas volvía con armas y prisioneros. Por eso no le decían nada. Él sabía que no debía apartarse de la disciplina militar porque le podía costar un disgusto serio. De todos modos, al lado tenía a su ángel guardián, el sargento Fábregas. Fábregas, como todos, no era Fábregas: un día le pregunté por su nombre verdadero y me contestó que se llamaba Ramón Estartit y que era catalán. Era chico de buena familia (siempre justificaba su desaliño y suciedad porque estaba en guerra; «Ya me cuidaré cuando vuelva a ser un civil»), tenía estudios superiores y hablaba inglés como un nativo. De hecho, era él el encargado de escribir a las inglesitas de York las cartas de amor de sus compañeros cuando La Nueve estaba en Inglaterra entrenándose y preparándose para el desembarco. Después de la Guerra Civil española, se enroló en la Legión Extranjera en Marruecos y pasó la mayor parte del tiempo en prisión militar, adonde lo llevaba su insubordinación congénita: de vez en cuando lo sacaban de la cárcel y lo mandaban a fregar platos. Fábregas era un poeta. Una noche estrellada, cuando aún no habíamos llegado a París, embobó a sus compañeros hablándonos de astronomía y astrología y recitando poemas. A la mañana siguiente, nada más ponerse de pie para fumar un cigarrillo, un francotirador alemán le metió una bala en la cabeza.

Campos nunca volvió a ser el mismo. Si acaso, su ferocidad para con el enemigo se multiplicó.

Écouché nos costó muchas bajas a los de La Nueve. Un desgarro, dejar a compañeros por las cunetas. Pero ya he dicho que, de instinto, no pensábamos en la muerte. Sabíamos que a París no íbamos a llegar todos, que por el camino se quedarían los mejores, los de mayor arrojo. No nos lo planteábamos, no podía pensarse en eso porque era una cobardía. Era la guerra. El que caía, caía. De los más cercanos a mí, John el Brigadas, al que partió en dos una ráfaga de ametralladora a pocos kilómetros de Écouché una semana más tarde. Domingo, gritando como un poseso, salió de entre los árboles y mató a los tres del nido de ametralladoras que se habían llevado por delante al Brigadas; y por asegurarse, lanzó una granada de mano y todo aquello, muertos incluidos, saltó por los aires reventado en mil pedazos de carne, tierra y metal confundidos. «Me cago en Dios —gritó Domingo—. Joder, Brigadas, tenías que salir a hacerte el temerario». Luego me miró y me espetó: «Anda que tú también tenías que salir a pecho descubierto a cargarte a esos tres nazis; te podían haber matado a ti, subnormal».

—No, si has sido tú —contesté.

—No me jodas, Manolo, que tú has sido el de la metralleta. Yo solo he lanzado la granada. Que no te enteras. Toca el cañón de tu arma, venga, a ver si te quema y vuelves al mundo real.

—¿Eh? —dije.

—Que sí, que no sabes ni por dónde vas. Tienes el seso sorbido, joder, y solo piensas en las tetas de Marie. Y no estás a lo que estás.

Bueno. En la guerra, a veces se confundían las cosas y quién hacía qué. Da igual. Eran *bermájios*, como los llamaba Domingo. *Bermájios* por gente de la Wehrmacht.

Fueron cuatro días de batalla brutal. La Nueve tuvo que acantonarse en Écouché para dar tiempo a que llegara el grueso del ejército americano, que venía más despacio. No se lo íbamos a echar en cara. Bastante habían tenido con el desembarco.

Nos ayudaban los de la Resistencia: conocían el terreno como la palma de la mano y, en los momentos más oportunos, bajaban del monte o salían de dentro del bosque para luchar codo a codo con nosotros; eran duros como pedernal: luchaban por su tierra.

Luego supimos que la batalla de Écouché fue otra leyenda de las tropas de Leclerc, la 2ª DB, una de las más duras del avance por Normandía y una sonada victoria de La Nueve. «*Zomo acín*», decía Paquillo el Gitano, limpiándose el oído con la uña afilada, lleno de orgullo.

Estuvimos casi una semana descansando en Écouché, recuperándonos. Nos bañábamos en el río, fumábamos sin parar y comíamos raciones americanas. La gente del pueblo que aún quedaba allí nos daba vino de la última vendimia, embotellado, escondido en cuevas y tapado con fardos. Estaba buenísimo.

El pueblo había quedado maltrecho. La iglesia había sido la peor parada: apenas si quedaban el torreón y la nave central. El cura era buena gente. Día y noche los había pasado enterrando muertos y atendiendo a heridos en la sacristía. Una imagen del Sagrado Corazón que presidía el altar de la iglesia había quedado hecha añicos y varios de nosotros nos pusimos a hacer una colecta entre toda esta banda de ateos para comprar otra. El cura quedó tan agradecido que, antes de que nos fuéramos de Écouché, nos pidió que asistiéramos a una misa que quería celebrar en memoria de todos los muertos caídos allí.

—Sé muy bien quiénes sois —le dijo al capitán Dronne—. Pero quiero celebrar la misa por el descanso de todos los soldados muertos en combate, por todos, cristianos, judíos o musulmanes y... también por los otros. No querría que me dejarais solo.

Y menos los soldados de guardia, asistió La Nueve en pleno.

MARIE

1943

14

El día de la tragedia, el 11 de marzo de 1943, Manuela cumplió diecinueve meses. Era alta y espigada y seguía teniendo azules los enormes ojos. Correteaba sin parar por todos los rincones de la casa y todo lo cogía, especialmente los lápices del abuelo, que la miraba embobado. Hablaba por los codos una mezcla de palabras cada vez más precisas junto con un vocabulario inventado que solo mamá y yo comprendíamos, pero sabía hacerse entender con su lengua de trapo. Cuando quería algo que no estuviera a su alcance, era a papá a quien se lo pedía, sabiendo que era el más blando de los tres, incapaz de negarle nada. Se agarraba a sus pantalones y lo miraba con gran seriedad. Luego le daba la orden con tres o cuatro palabras incomprensibles o con un «¡*Eto*!», extendiendo el bracito con el dedo índice apuntando con decisión hacia lo que pretendía. Siempre lo obtenía, claro.

Hacía un día espléndido y muy frío. Sobre las cuatro de la tarde volvía con mi bebé de dar un largo paseo por el parque de la universidad. La pobrecita estaba hambrienta.

Al llegar frente a casa vi que había un automóvil parado delante. Un maldito Mercedes negro enorme con un banderín sobre el guardabarros derecho enarbolando la cruz gamada. Dentro estaba sentado un chófer o tal vez un guardia vestido con el uniforme de servicio verde gris de las SS. De golpe se me desbocó el corazón.

Debería haber seguido andando como si tal cosa hacia cualquier sitio alejado de la casa, lo sé, pero no fui capaz. Pudo conmigo la angustia.

Me acerqué a la cancela del jardín y el guardia o lo que fuera abrió la portezuela y salió del coche.

—¿Qué quiere? —me preguntó con brusquedad en mal francés.

—Es mi casa —contesté.

—Un momento.

El guardia abrió la cancela y se acercó a la puerta de casa. La abrió (nunca estaba cerrada) y entró en el vestíbulo. Oí que decía algo en alemán. Dio media vuelta, me miró y dijo:

—Adelante.

Entonces cogí a Manuela en brazos y entré en casa.

Además de papá y mamá, había otras cuatro personas en el saloncito: un oficial de las SS de uniforme y un alemán más, también de uniforme, un animal gigantesco que se había quitado la guerrera y llevaba tirantes e iba remangado. En una esquina de la habitación, con los ojos muy abiertos y cara de espanto, Pierre, el chico joven que había estado con nosotros el día en que recibimos el pequeño avión en el que venían D'Asquier y John Smith ¡hacía casi un año!; me había acompañado varias veces a otras misiones encubiertas. A su lado, con los brazos cruzados y apoyado contra la pared, el padre de Pierre, un tipo más bien delgaducho (habría dicho insignificante si la amenaza no hubiera sido tan real), que iba de uniforme de la Milicia francesa, cazadora azul, camisa marrón, bombachos azules y botas negras de media caña. Una gran boina le tapaba la nuca y dejaba al descubierto la frente. Del cinto del correaje pendía una funda con una gran pistola. El tipo sonreía con suficiencia. Un matón asesino como todos ellos. Todavía me da vergüenza decir que era francés.

Describo todo esto porque lo asimilé con una sola ojeada en menos de un segundo.

Y se me cayó el alma a los pies. Papá estaba sentado en una de las sillas del comedor. Tenía la cara abierta a golpes, una gran brecha en la frente, un ojo hinchado y cerrado y de la oreja izquierda le caía un hilo de sangre que se escurría por debajo del cuello de la camisa. De la boca abierta le caía saliva. Que yo viera, le faltaban tres dientes de delante. Estaba doblado en dos y se sujetaba el estómago con las manos.

Di un grito, busqué a mamá para darle a la niña y abrazar a mi padre. El oficial alemán exclamó: «*Halt!*», y levantó una mano para que me detuviera.

Mi madre estaba de pie, rígida, casi apoyada en la pared al lado del padre de Pierre. Era evidente que no le habían dejado acercarse a su marido para socorrerlo. Estaba pálida como una muerta y se le habían formado grandes ojeras violáceas que le ocupaban casi toda la cara. Su pelo, generalmente tan bien recogido, era ahora una mata desordenada. Pero sus ojos azul índigo, fijos en la cara de papá, solo traslucían frialdad. Su mirada había adquirido una dureza que daba miedo.

—¿Es usted la hija del profesor Weisman?

—Sí —contestó por mí el miliciano—. Es su padre. Hace meses que la vigilo y que tenía ganas de encontrármela. —Rio. El alemán lo miró con fastidio.

Volví la vista hacia Pierre, pero él bajó los ojos y se puso rojo de vergüenza o de angustia o de miedo, yo qué sé.

—Tenemos un problema, señorita —dijo el oficial, hablando con tranquilidad, casi en voz baja, en un francés perfecto—. Sabemos que su padre es el jefe de la Resistencia en la región.

—¿Mi padre? —contesté temblando, casi sin voz; tenía la garganta seca—. Mi padre es un profesor y no tiene nada que ver con la Resistencia...

—Sabemos que sí.

A papá se le escapó un gemido y a mamá se le saltó una sola lágrima que le rodó por la mejilla. Pero enseguida parpadeó para recuperar la calma y siguió recta, impenetrable, gélida como un témpano.

Manuela, asustada, volvió a mis brazos y empezó a llorar y se agarró fuerte, fuerte a mi cuello. Le pasé la mano por el pelo, acariciándola con toda la ternura de que era capaz.

El oficial repitió con voz tranquila:

—Sabemos que sí, señorita. Es sencillo: hace meses que lo seguimos, seguimos todos sus movimientos. Solo nos faltan algunos detalles. Pero son poca cosa. Es muy sencillo. Primero de todo, para que comprendan su situación, le recordaré que ustedes han perdido la guerra y es inútil que resistan por un patriotismo mal entendido. En segundo lugar, cuando acabemos con los movimientos de la Resistencia, no habrá motivo para que ustedes sigan sufriendo el peso de esta guerra. Es sencillo —repitió—: que su padre nos dé el lugar en donde esconden armas, en donde se reúnen los integrantes de su célula y, sobre todo, que nos ayude a encontrar a Jean Moulin. Su padre sabe dónde está, conoce su paradero exacto... Que nos lo indique y se habrá acabado este sufrimiento inútil que soy el primero en lamentar.

Jean Moulin, el jefe de la Resistencia, el héroe, el prefecto más joven de Francia, que un día de 1940, por negarse a firmar una denuncia por unas acusaciones falsas, fue detenido por la Gestapo. Temiendo no ser capaz de resistir, sin ceder, la tortura a que le someterían, intentó suicidarse rebanándose el cuello con un cristal roto. No lo consiguió. Hacen falta agallas para tomar una decisión de este calibre. Al día siguiente fue puesto en libertad por un militar no nazi de la Wehrmacht a quien horrorizaban los métodos de la Gestapo. Moulin acabó en Londres para organizar junto a De Gaulle la estructura y la lucha de la Resistencia. Y en la última noche de 1941 fue lanzado en paracaídas sobre la Provenza. Aquel fin de año, después de recogerlo, dormimos todos en la masía de Les Baux. Esta vez papá nos había acompañado para poder estrecharle la mano. En la mañana del 1 de enero de 1942, Moulin desapareció hacia la clandestinidad y se convirtió en la leyenda implacable de la Resistencia.

Jean Moulin, Max por nombre de guerra.

Mi padre sacudió la cabeza de izquierda a derecha.

Manuela lloraba sin parar con grandes sollozos y jipidos que le contraían el pecho. La miraba, pobrecita, desesperada de miedo e incomprensión.

El animal de las SS dio un paso, agarró a mi padre por el pelo para levantarle la cabeza y le propinó un fuerte tortazo en la oreja. Papá volvió a gemir. Esta vez no pudieron impedirme que dejara a Manuela en el suelo, me abalanzara sobre él y lo rodeara con los brazos. Supliqué mirando al oficial:

—¡Déjenlo, por Dios, déjenlo! —Y de forma totalmente incongruente, añadí—: ¿No ven lo que sufre?

—Lamentable, señorita, lamentable. ¿Quiere que su padre deje de sufrir? Convénzale de que nos diga lo que necesitamos saber y se habrá acabado todo.

Miré a mi padre y él volvió a hacer el mismo gesto negativo.

—No lo va a hacer —dije.

El bestia de las SS volvió a agarrarlo del pelo, pero antes de que pudiera golpearle de nuevo, el oficial levantó una mano e hizo que parara. Comprendí que no era que se hubiera apiadado, sino sencillamente que quería esperar un momento para darle tiempo a comprender que la tortura no se había acabado.

Nouvelle, el padre de Pierre, no se había movido hasta entonces. Lo miraba todo con el aire de estúpida suficiencia del que es cruel porque se sabe en posición de fuerza y se ampara en el hecho de que los suyos son más.

Con un pequeño empujón se separó de la pared contra la que se apoyaba, sacó el pistolón de la funda y se acercó a mí, que había vuelto a coger a mi hija en brazos. La abracé con desesperación contra mi pecho, como si así pudiera protegerla mejor.

Nouvelle apoyó el cañón de la pistola contra la cabeza de mi bebé. Yo me aparté girando hacia mi derecha, pero no podía protegerla mejor y él también me agarró del pelo para sujetarme. Volvió a colocar la pistola contra la cabecita de mi Manuela y dijo gritando:

—¡Dinos dónde está Moulin, judío asqueroso! ¡Dínoslo o le meto un tiro a la niña!

Manuela, aterrada, lloró más fuerte aún, gritando de puro terror.

Me quedé muda, incapaz de moverme durante un segundo, consciente de que no me daría tiempo a saltar para impedir que Nouvelle disparara, pero sabiendo que lo haría. Prefería que también me matara a mí.

Se hizo el silencio más absoluto.

Y de pronto sonó la voz de mi padre, firme, dura, dura como nunca la había oído:

—Nouvelle, eres despreciable. Óyeme bien. Mata a mi nieta, ¿me oyes?, mata a mi nieta y te juro, ¿me escuchas?, te lo juro —papá había levantado la cara ensangrentada y lo miraba con su único ojo abierto—, no saldrás con vida de Francia.

Parecía que se hubiera detenido el tiempo. Hubo un largo instante de silencio e inmovilidad.

Por fin, Nouvelle soltó una carcajada que pretendía indiferente y que le salió como el cacareo de una gallina. Derrotado por su propia cobardía, no pudo resistir la mirada tuerta de mi padre y, lentamente, bajó la vista. Bajó la pistola y se quedó de pie junto a mí, con el brazo extendido hacia el suelo y el arma colgando de él.

—No seamos melodramáticos —dijo entonces el oficial—. No somos unos asesinos incivilizados. Simplemente, debemos ser eficaces en la defensa de nuestro Reich. Guarde esa pistola, Nouvelle, que no es necesaria. Vamos a llevarnos al profesor Weisman a Lyon...

—¡No! —grité.

—... Vamos a llevarnos al profesor Weisman a Lyon y allí podremos cuidarlo mejor, restañar sus heridas y, de paso, terminar de preguntarle estas cosas tan engorrosas.

No había levantado el tono de voz, pero en esa misma amabilidad estaba la más siniestra amenaza. Nouvelle, humillado, guardó su arma en la funda, se dio la vuelta y salió de la casa sin decir nada. Le siguió Pierre con la cabeza gacha.

Con la voz serena, mamá le dijo al oficial:

—Permítame que me despida de mi marido.

El alemán hizo un gesto galante y mi madre se acercó a la silla en la que estaba derrumbado mi padre.

—Adiós, mi amor —dijo—, adiós.

Y le rodeó los hombros con ambos brazos, mientras lo besaba en la maltrecha frente.

—Ah, Virginie —murmuró él.

Nada más.

Mucho después me di cuenta de que aquel día mi madre supo con total certeza que no volvería a ver a papá. Solo ella lo comprendió.

15

De todo lo que ocurrió en los días posteriores a la detención de mi padre, lo que más me desconcertó fue el cambio radical que provocó en mamá. Siempre había sido una mujer suave, dulce, desprendida. Instintivamente pensaba en ella con respecto a mi padre como se piensa de las parejas que llevan décadas juntos y siguen igual que el primer día: secretos de intimidad, ni un desacuerdo profundo, una amistad inquebrantable. Por supuesto que mamá admiraba sin reservas el trabajo de mi padre y siempre había aceptado cuanto él opinara. Enseguida comprendí que esa solidaridad hacia él nunca había sido falta de carácter o debilidad.

Su tristeza, claro, su desamparo eran lo menos que podía esperarse de una tragedia de esas proporciones. Pero es que, además, de la noche a la mañana, pareció convertirse en una persona diferente. Como si, sacudida por un rayo, se hubiera enderezado de golpe y se hubiera transformado en alguien que no necesitara apoyos para vivir. Forzada por la repentina ausencia de su compañero de vida, pareció comprender que ya no podía refugiarse en su protección ni en su complicidad.

Si no hubiera sabido que mi madre era una persona inteligente y con criterio propio, habría dicho que un día, ese día 11 de marzo de 1943, se vio obligada a empezar a pensar por su cuenta.

Pero no, se puso a pensar por cuenta de todos.

Desde el día siguiente al traslado de papá a Lyon, cortesía de la Gestapo, mi madre acudió cotidianamente al chalé de las SS a preguntar por el profesor Weisman. En realidad, preguntaba por el oficial que lo había detenido, el capitán Klaus Barbie, el SS Hauptsturmführer Barbie.

Mamá había recorrido en tren los ciento setenta kilómetros que separaban Clermont de Lyon. Encontró un hotelito en el centro, cerca del chalé de las SS, y allí se alojó durante una semana. Quise acompañarla, pero no me dejó. Tenía que ocuparme de Manuela, me dijo, y además no convenía que la casa quedara desierta. Quería ir sola, vamos.

El primer día, Barbie le hizo esperar durante dos horas, sentada en una silla del vestíbulo del chalé. Luego se deshizo en excusas y explicaciones, asegurándole que el profesor Weisman se encontraba bien y recuperándose de las heridas recibidas durante su desafortunado interrogatorio. ¿Desafortunado? Bueno, sí: podría haberlo evitado si hubiera comprendido la inutilidad de resistir. Barbie no se habría visto obligado a..., bien, la señora Weisman sabía de lo que hablaba, ¿no? ¿Dónde lo tenían? Ah, en una clínica especial de las SS aquí en Lyon. ¿Podía verlo? Lamentándolo muchísimo, no sería posible: la clínica estaba restringida a personal militar alemán. Pero el capitán le prometía que haría todo cuanto estuviera en su mano para hacer una excepción y permitir que *madame* Virginie visitara al profesor a la mayor brevedad posible.

Mamá no volvió a ver a Barbie.

Klaus Barbie de las SS, conocido en toda Francia como el Carnicero de Lyon, un asesino sádico, un torturador que disfrutaba con su trabajo de muerte.

Mi madre llegaba diariamente al chalé de la Gestapo y, como ya no le dejaban acceder a él, se sentaba como un gorrión, tanta era la impresión de fragilidad que daba, en la esquina de un banco en plena calle frente a la entrada. Hacía mucho frío, pero ella se sentaba impertérrita y esperaba. Al principio, los centinelas la miraban con cierta incomodidad, pero cuando se acostumbraron a su presencia, dejaron hasta de verla. Al cabo de unas horas, cuando comprendía que el capitán se había marchado del chalé por otra puerta más disimulada, mamá se levantaba y se iba andando despacio hacia su hotel.

Después de una semana de infructuosa espera, un día, al caer la tarde, se sentó a su lado un hombre de mediana edad, vestido con mono de trabajo. A Virginie le parecía haberlo visto en alguna otra ocasión, solo que más bien en Clermont. Lo miró frunciendo el ceño.

—Se va usted a enganchar una pulmonía, señora Weisman —le dijo el hombre—. Hace demasiado frío. Por favor, véngase conmigo. Iremos a ese café de ahí enfrente y podrá usted tomar algo caliente antes de volver a casa.

—¿Quién es usted? ¿Lo conozco de algo, señor...?

—Blanchard. Me llamo Blanchard. Trabajo en la factoría Michelin en Clermont y soy sindicalista de la UGT...

—Ah. ¿Y por qué sabe usted mi nombre? ¿Qué sabe usted de mi marido?

El hombre bajó la voz hasta hacerla casi imperceptible.

—Conozco al profesor de *Franc-Tireur* —dijo por toda explicación. Tosió—. Tengo que decirle una cosa... Preferiría no hacerlo, pero...

—Dígame, Blanchard, por Dios —interrumpió mamá con impaciencia, intentando esconder la angustia que le iba a provocar lo que había de decirle el tipo de la Michelin.

Aunque ya lo sabía.

El hombre bajó la vista.

—No sé cómo decírselo...

—Pues hágalo de una vez.

—Su marido, el profesor Weisman... —Carraspeó—. El profesor Weisman..., eh..., en fin, murió hace dos días.

Desengañada la esperanza contra toda esperanza que le había sostenido hasta ese mismo momento, mamá se llevó la mano a la cara y abrió mucho los ojos. Durante un largo rato no pudo articular palabra. Con la boca muy abierta, jadeaba, respirando casi ahogada, a sacudidas breves. Se le deslizaban los lagrimones por las mejillas. Blanchard le puso una mano en el brazo y ella lo retiró débilmente. Unos instantes después consiguió enderezarse. Miró al sindicalista a los ojos.

—No, no, estoy bien —acertó a decir con un sollozo—. ¿Cómo fue? ¿Me lo puede usted...?

—Verá. Hace dos días, de madrugada, subieron a su marido a un camión. Iba mal, muy..., en fin, muy enfermo. A su lado subieron a un chico muy joven..., un muchacho al que las SS habían pillado haciendo una pintada en una pared del ayuntamiento, muerte a los alemanes, viva Francia Libre..., algo así, no sé, porque los nazis la borraron esa misma noche. Tendría unos dieciocho años. Iba llorando... Lloraba de miedo, pobre chico. Y entonces, el profesor le dijo: «No tengas miedo, muchacho... Nos van a fusilar. Pero no vamos a sufrir. Esto se acabará enseguida... No tengas miedo».

—Y eso, ¿usted cómo lo sabe?

—Uno de los gendarmes que vigilaba mientras los subían al camión, y que es de los nuestros, lo oyó. —Blanchard guardó silencio durante unos instantes. Luego, añadió a regañadientes—: Los fusilaron en el bosque... El chico murió en posición de firmes sin dejar de llorar y sé que su marido antes de caer gritó: «*Vive la France!*».

—¡Oh, Dios mío! Dios mío, Dios mío, Dios mío. ¿Dónde está el cuerpo de mi marido? Quiero verlo, quiero que me lo entreguen...

—Está enterrado en el cementerio municipal..., en una fosa común.

—Cuánta crueldad. Quiero ir a verlo. Tengo derecho a verlo. ¡Es mi marido! Tengo derecho —dijo en un quejido—, tengo derecho.

—No —contestó Blanchard—. No puede ser. En este momento, no puede ser. El cementerio está vigilado por la Gestapo, todo Lyon está vigilado. Si usted apareciera por allí, sabrían que le han dado el soplo sobre lo que han hecho con el profesor y enseguida pensarían que usted no solo tiene contactos, sino que sabe más de lo que parece. La detendrían y la torturarían. No... No. No puede ser, no lo podemos permitir, ¿verdad? Así, volviéndose usted a Clermont, pensarán que se ha resignado y que abandona.

—¿Cuándo... cuándo podré venir?

—Pronto, *madame*..., dentro de un tiempo, unas semanas. Todavía es pronto para decirlo. *Madame*... —Hubo un larguísimo silencio durante el que Blanchard pudo oír cómo mamá respiraba muy despacio, profundamente. Repitió—: ¿*Madame* Weisman?

Mi madre había bajado la cabeza. Por fin, la levantó y, mirando al sindicalista, dijo con firmeza:

—... Llámeme Moineau, Gorrión. A partir de ahora soy Moineau.

Blanchard la miró con sorpresa.

—¿Qué quiere decir?

Mamá se apartó las lágrimas con un gesto vivo de las muñecas, arrastrándolas por las mejillas. Se desprendía así de su vida y la enterraba literalmente junto al cuerpo de papá.

—Alguien tiene que continuar el trabajo de Daniel... de mi marido, quiero decir...

—¿Va usted a hacerlo? —Blanchard la miraba con asombro.

—Sí.

—¿Se siente capaz? Esto es muy duro, muy peligroso.

Mamá se encogió de hombros y sonrió levemente.

—No hace falta que me lo jure.

—Bueno, no... Perdóneme, no quería decir eso, quería...

—Da igual. No se preocupe.

—Nos tendrá a todos a su lado. Tendremos que reunirnos pronto...

—Muy bien. Dígame, Blanchard, ¿por qué está usted aquí?

Sorprendido, él contestó:

—Me mandaron los compañeros de *Franc-Tireur*... Para protegerla, ya sabe, acompañarla y llevarla de vuelta. Los del hotel en el que se ha alojado también son compañeros... ¿por qué cree usted si no que le dieron habitación sin hacer preguntas...? Sabían bien quién es usted. Nos avisaron y aquí estoy... —sonrió—, Moineau.

Desde el mismo momento en que mamá volvió a casa, según entraba por la puerta, comprendí lo que había pasado. Yo jugueteaba distraída con Manuela, sentadas ambas en el suelo, y la vi entrar en el saloncito. No hizo falta más. Me puse de pie y corrí a sus brazos. ¡Cómo es el instinto! No vino ella a consolarse en mi regazo; fui yo a consolarme en el suyo, sabiendo quién era la fuerte, quién me ampararía desde entonces, quién sabría guiar mis pasos, mis amores y mis rencores.

Mis rencores, sí.

Barbie tenía que pagar por lo que había hecho. Pero Nouvelle sobre todo. Solo por haber puesto la pistola en la cabeza de Manuela merecía la muerte. En tiempos de paz, tal vez habría tenido la oportunidad de defenderse, de explicar sus actos, acaso como consecuencia de un miedo insuperable o de un violento ataque de ira. Pero estábamos en guerra y la justicia en guerra es somera. Si mi padre, sacando fuerzas de flaqueza, no hubiera retado a Nouvelle, Manuela estaría muerta. Un hombre con menos temple que el del profesor Daniel Weisman habría suplicado, habría intentado ganar tiempo y, al final, mi hija habría muerto de todos modos y él, derrumbado por el dolor y la culpa, lo habría confesado todo.

¿Como Manuel y Philippa, sus diarios y el chantaje de Bousquet con mi vida? ¿Era lo mismo? La confesión de mi padre a cambio de la vida de mi hija; la traición de Manuel a cambio de mi vida. ¿No habrían sido lo mismo? Solo que mi padre no había confesado; se había limitado a amenazar de forma terriblemente convincente.

—Mamá —le pregunté aquella noche cuando el bebé dormía ya—, ¿podemos hablar de papá? —No respondió. Al cabo de un rato insistí—: ¿Papá?

—No hay mucho que decir. —Suspiró—. En Lyon, Klaus Barbie lo siguió torturando —bajó la voz hasta un susurro—. Dios mío... Lo siguió torturando y no sé si Daniel confesó o no. Creo que debió de mantenerse firme porque, si no, estaríamos todos muertos... Cuando comprendió que no podría hacerle confesar, lo fusiló. No hay más. En un bosque, sí. Junto con un chico que estaba muerto de miedo... Y Barbie morirá como ha vivido, como un perro.

—Pero... pero...

—Me lo contó Blanchard, un obrero de la Michelin que está en el círculo de resistentes del *Francotirador* y que es quien me ha traído de vuelta a Clermont.

—¿Y ahora qué?

Se encogió de hombros.

—Qué quieres que te diga, Marie. Estamos en guerra. Seguimos haciendo la guerra.

—¿Crees que si papá hubiera cedido, estaría aún vivo?

—No. ¿Cedido a la amenaza de Nouvelle contra Manuela? No.

—¿Lo habría matado Barbie?

—¿A tu padre?

—Sí.

—Ya lo hizo, ¿no?

—No. Digo en ese momento.

—No. ¿Qué sacaba con eso? Muerto no le servía de nada: los muertos no confiesan.

—Lo que quiero decir es, ¿era lícito que hubiera cedido y salvado la vida de Manuela?

—No, Marie, ya hemos quedado en que para ese cobarde de Nouvelle, la vida de tu bebé no valía nada, hubiera confesado Daniel o no. Si papá no le llega a amenazar, la habría matado igual. —De pronto, levantó una mano—. Espera, espera. ¿Qué me estás preguntando? ¿Eh? ¿Me estás preguntando si papá hizo bien salvando la vida de Manuela y Manuel hizo mal salvando la tuya? ¿Es eso? —Bajé la mirada—. Es eso, ¿eh? No puedo contestar por Manuel, Marie, ni puedo dar certificados de conducta.

—Sí, pero papá, a riesgo de lo que fuera, no hizo el trueque. Le salió bien, pero no hizo el trueque. Manuel, en cambio, ni siquiera esperó a comprobar qué pasaría si se resistía. Dime una cosa, mamá, si hubiera dependido de ti..., no..., mejor aún..., si la víctima hubieses sido tú, si el trueque hubiera sido contigo, ¿habrías aceptado vivir a cambio de la muerte de muchos patriotas?

—No es lo mismo. No habría querido vivir, pero no es lo mismo. Daniel y yo llevábamos cuarenta años juntos, lo habíamos explorado todo juntos, habíamos satisfecho nuestro amor, no necesitábamos más. Nos tocaba devolver algo de la plenitud que la vida nos había dado. Ni mi vida ni la de tu padre tenían ya importancia. De lo único que estoy segura es de que no importaba que muriéramos.

No puedo vivir sin tu padre, no quiero vivir sin él. Cuando acabe todo esto, iré tranquilamente a la tumba... sin pesar, sin amargura...

—¡Pero a mí me pasa lo mismo!

—¡No! Nuestra vida, de tu padre y mía, termina aquí, mientras que vosotros apenas estáis empezando. Vuestro amor es fresco, no tiene límites, solo tiene futuro, un futuro sin explorar. Sé que si te hubieran preguntado, habrías preferido la muerte, habrías salvado a Philippa. Menos mal que no lo hicieron. Ella tampoco habría querido. Así es la guerra. Y menos mal que se lo preguntaron a Manuel porque ahora, en lugar de muerte, tenéis una hija maravillosa. —Agachó la cabeza y murmuró—: Y yo ahora estaría sola sin tu padre y sin ti.

No había vuelto a ver a Pierre, el hijo de Nouvelle, desde el día en el que papá había sido torturado y Manuela casi asesinada. Supuse que él, por fidelidad a su padre, había sido el autor de la delación. En mi furia, me juré que lo pagaría. Oh, sí. Pero por encima de todo pagaría su padre: no concebía otra cosa y pasé las siguientes semanas pensando en acabar con él. El sentimiento me envenenaba.

Tuvimos que desplazar el lugar de las reuniones de *Franc-Tireur.* Hacerlas en casa se había vuelto demasiado peligroso. Mamá, Moineau, estaba segura de que la Milicia nos vigilaba a las dos; no eran muy hábiles, pero eran muchos. Se paseaban por pueblos y ciudades desfilando, dándose aires de suficiencia con su pinta de matones y sus grandes boinas azules caladas hasta la nuca.

El trasmisor de radio, que la Gestapo no había conseguido encontrar, fue llevado a una de las naves de repuestos de la fábrica Michelin, cerca de un pajar abandonado, por si había que recurrir a él en un momento de peligro. Era muy arriesgado utilizar la radio, pero no había más remedio que hacerlo. La coordinación de nuestras acciones, los lugares de recogida de los agentes que eran parachutados, los preparativos de todo orden imponían su uso constante.

Hasta entonces, los integrantes de la red de *Franc-Tireur* no se habían tomado demasiado en serio la necesidad del sigilo. Hasta había quien llegaba a la redacción del *Progrès de Lyon* (en donde se escondían los redactores de la publicación clandestina) y preguntaba tranquilamente por la sala de redacción de *Franc-Tireur.*

Todo esto cambió tras la muerte de mi padre.

Desde muy pronto, mamá demostró una firmeza y unas dotes de mando y secretismo que hicieron no solo que la respetaran, sino que su gente operara con gran eficacia en la zona este de Francia. Moineau se convirtió en una leyenda entre los grupos de resistentes, no solo por ser eficaz y valiente, sino porque era implacable con los enemigos. Verdaderamente implacable. Igual que los alemanes con nosotros.

Durante semanas no volví a pensar en cómo hacer frente a los dilemas morales que me planteaba mi relación con Manuel... si es que había aún posibilidad de una relación, si es que Manuel aún vivía. Bueno, en realidad, en el fondo de mi entraña, lo tenía decidido desde tiempo atrás: moral o no, Manuel era mi marido y los dos teníamos una hija si él seguía queriendo. ¿Qué otra angustia me quedaba por resolver, entonces? Es verdad que todo se mezclaba con las circunstancias y el dolor de la muerte de papá. «No es lo mismo —insistía mi madre—. Sería lo mismo, el mismo dilema moral, si el detenido por la Gestapo hubiera sido Manuel, porque estoy segura de que, sometido a la amenaza de muerte, la habría aceptado gustosamente si era para salvarte la vida. Bueno, gustosamente... Habría entregado su vida por la tuya, no tu vida por la de Philippa». Y después sonrió: «En fin, esto es como discutir del sexo de los ángeles o de cuántos arcángeles caben en la cabeza de un alfiler».

Y al cabo de muchos días, añadió pensativa:

—Creo que tu padre nunca estuvo cerca de confesar. Era lo suficientemente estoico como para comprender que todo aquello se acabaría pronto y que el dolor valía la pena. El dolor era una victoria... Barbie debió de comprenderlo también. Por eso lo mandó fusilar... Ah, mi pobre Daniel.

El hecho es que yo vivía angustiada por todo, presa de una actividad enfebrecida que me llevaba de la existencia aparentemente apacible de madre de un bebé a la acción de la Resistencia, pasando por el cuidado de mamá, a quien solo parecía interesar la guerra clandestina. Indiferente a todo lo demás, supongo que era su forma de mantenerse leal a mi padre y, al mismo tiempo, su manera de continuar su lucha, de tomarse la revancha y de perpetuar su memoria.

Así son las cosas de la guerra, que lo reducen todo a su dimensión más primaria. Me parecía que todo en la batalla pierde sus perfiles más reflexivos, sus análisis más matizados. No había grises, solo negros y blancos. Supongo que la guerra hace cosas extrañas con nuestra conciencia, la libera de sus inhibiciones y permite que se expresen sin limitaciones fuerzas ocultas de nuestro interior. En tiempo de paz, ninguna de las cosas que me impulsaban ahora habría salido a la luz, estoy segura. Supongo que a mamá, tampoco. A Nouvelle, desde luego, tampoco. Por ejemplo, su cobardía, liberada de las ataduras del miedo, se convertía en coraje, incluso en valentía fanfarrona. (A veces no bastaba: a Nouvelle lo había convertido en mera hojarasca el reto de mi padre; pero no me cabía duda de que pensaba tomarse la revancha por su humillación).

Curioso, creía yo: todos en la Francia de Vichy eran antisemitas (era el rasgo que más les asemejaba a los nazis, bueno, y a todos los reaccionarios del mundo), pero incluso los más tibios, envalentonados, hacían en público crueles mofas y desprecio de los judíos. No es que pensaran distinto en su fuero interno, es que ahora lo manifestaban con impunidad.

Los miembros de *Franc-Tireur* eran de muy diversa procedencia. Dos profesores de ciencias políticas, un peluquero, un marqués que vivía y, cuando era necesario para nuestras operaciones, facilitaba el pequeño *château* que la familia poseía sobre el lago de Annecy. También el heredero de una gran bodega de champagne de Épernay, un abogado de cierto peso en Clermont, tres médicos, dos ingenieros, un cura —el *abbé* Bernard—, los dueños de dos garajes locales, peones camineros, *cheminots* —empleados del ferrocarril—, sindicalistas de la Michelin, profesores de liceo y estudiantes. Enseguida podíamos reunirnos una veintena. Mi madre insistía en la disciplina a rajatabla y el secreto absoluto. Las misiones las llevaban a cabo el mínimo número de personas, sin que nadie, solo mi madre, supiera de quién se trataba y para qué habían sido enviados a hacer el trabajo que se les había encomendado; si eran detenidos, no sabrían a quién acusar. Lo más complicado, claro, era el entrenamiento con armas para las acciones que vendrían más adelante. Eso lo hacíamos por separado en el parque del *château*, nunca todos juntos. El marqués, gran cazador, se ocupaba de enseñarnos... los días en que no tenía invitados alemanes. Todo muy Pimpinela Escarlata.

Yo era la encargada de llevar mensajes y convocatorias escondidos debajo de las mantas del cochecito de Manuela. A veces, en los momentos de mayor riesgo, me acompañaba un joven profesor de matemáticas del liceo Chateaubriand. Era un muchacho encantador, en ocasiones demasiado intenso para mi gusto («Si a ti que eres como una corriente eléctrica, te parece intenso —decía mamá riendo—, no quiero ni pensar cómo es él»), pero siempre dispuesto a venir conmigo y a protegerme. Se llamaba Alain Lecasse. Manuela se acostumbró pronto a su presencia y se reía como una loca cuando Alain le ponía caras de payaso o se la subía a los hombros para correr por el parque.

Yo también me acostumbré pronto a él. Hablaba como una cotorra, lleno de entusiasmo, lleno de proyectos para después de la guerra...

«Ay, Manuel, ¿dónde estás?».

¡Cómo echaba de menos unos brazos que me sujetaran contra el pecho de un hombre! ¡Cómo me asaltaba la sensualidad!

Alain me hablaba y no dejaba de mirarme. Entonces, asediada por mis sentimientos, le hablé de Manuel. Se lo conté casi todo. Casi todo. ¿Estaba cediendo? ¿Qué era esta tentación que me empujaba hacia el precipicio? Ceder era traicionar la memoria, la riqueza de lo que éramos Manuel y yo... si es que lo seguíamos siendo. Me miré en el reflejo de mis padres e intenté recordar lo que habían sido el uno para el otro: una roca de intimidad. Hasta había veces en que, ya mayores (yo también ya mayor, ¡con una hija!), por la mañana, les adivinaba, con sus solas miradas, el sexo de la madrugada anterior. Me chocaba por esta manía de negarles la sensualidad a los que ya tenían bastantes años a la espalda.

Pero la soledad me costaba trabajo, el peligro cotidiano costaba trabajo, alimentar la furia sin soporte moral costaba trabajo. Y sentía que me deslizaba por una pendiente en la que era imposible frenar.

Hasta que el propio Alain me frenó sin ser consciente de ello. Una mañana me trajo una tarjeta postal que había llegado al decanato de la universidad a nombre de mi padre y que había sido reenviada desde la Sorbona.

En aquellos momentos de Vichy, todo lo que se escribía estaba sometido a censura. No se permitían las cartas metidas en sobres, no fueran a esconder cualquier tipo de espionaje. En su lugar se instauró la tarjeta postal del «Tache lo que no corresponda». Había líneas de puntos que debían ser rellenadas con la fecha y el nombre del remitente y, después, más líneas de puntos que terminaban con «... buena salud», «... cansado», «... ligeramente enfermo», «... herido», «... muerto». También estaba previsto «La familia está...», «... bien», «Necesita... dinero... provisiones».

Parece mentira que una de esas postales tan estúpidas pudiera traerme tanta felicidad. La fecha: 22 de febrero de 1943; remitente: Manuel de Sá; el texto: «Me encuentro en BUENA SALUD, aunque CANSADO. Hace mucho calor. RECUERDOS (ABRAZOS, BESOS...) a todos, firmado: Manuel».

¿Qué más podía yo querer? ¿Y por qué solo recuerdos?

Mi felicidad fue tanta que me sentí colmada. En aquel momento, hasta la muerte de mi padre me pareció una redención. Nada conseguiría derrotar la sensación de triunfo que iba aparejada a este gozo. No encuentro otra explicación a mi decisión temeraria de matar a Nouvelle. Convencida de ser inmune a los riesgos que entrañaba, decidí que su crimen merecía castigo inmediato. No podía esperar a mañana. Cada instante de satisfacción que Nouvelle le ganara a la vida era un insulto: él le debía sufrimiento a su crimen. Eso es el infierno, ¿no? Manuela y papá tenían que ser su infierno.

16

—Te veo abstraída.

—Estoy bañando a Manuela, mamá, y le canto nanas.

Como para darme la razón, el bebé emitió un gorjeo húmedo con pompas de saliva y cuando le pasé los dedos por la tripa, se retorció de risa. «Mami, no, *coticas*».

—Ya, pero te veo abstraída. Distraída. ¿En qué piensas?

—En nada. En Manuela y en cómo se ríe. ¿Verdad, mi pequeño botón de caramelo? —Le acaricié el ombligo.

Mi madre levantó entonces la mirada del cuaderno sobre el que estaba concentrada.

—¿En qué piensas? —insistió.

—En nada especial..., en la guerra..., en cuando termine... adónde iremos a vivir, cosas así. ¿Volveremos a París? Es nuestra ciudad, ¿no? Porque esta guerra la ganaremos, ¿verdad? Y echaremos a los alemanes, ¿eh?

—Hay algo más, Marie —dijo, utilizando el tono severo de cuando me regañaba por las notas del liceo.

—No. ¿Por qué?

—Porque conozco de sobra tu forma de escurrir el bulto. Y no tiene nada que ver con cómo enjabonas a tu bebé.

Lo pensé un momento.

—¿Quieres saber de verdad lo que pienso? Pienso en Manuel, en el vacío que me ha dejado en la boca del estómago, pero sobre todo en papá, pienso en cuando se lo llevaban, pienso en cómo salvó a Manuela y lo increíble que me resulta que estuviera sentado ahí, sobre esa silla, herido de muerte, y que fuera capaz de hablarle a Nouvelle del modo en que lo hizo y que lo achantara con su voz. Nouvelle es un cobarde —dije— y desde luego es un matón. Pero había que saber cómo amedrentarlo...

—Solo un cobarde así se acobarda así. —Mamá sacudió la cabeza y luego habló como si a posteriori estuviera descubriendo en papá una virtud inesperada—. Lo que dijo tu padre... y la manera en que lo hizo... Un hombre... vencido, sujeto por el pelo como lo tenía aquella bestia, incapaz siquiera de ponerse de pie porque no le aguantaban las piernas —se le puso la voz ronca con el recuerdo—, tiene que tener mucha fuerza para acobardar a otro con sus solas palabras. Y Nouvelle se lo creyó. Creyó que si mataba a la pequeña Manuela, no viviría para contarlo. No sabía cómo, pero estaba convencido. Se lo vi en la cara. Y le dio miedo... Pero más importante aún: era tu padre quien llevaba el convencimiento en el rostro. Lo que dijo no fue una baladronada. Fue real. Ah, sí, cuando profirió aquella amenaza, él también estaba seguro de que Nouvelle moriría si mataba a tu bebé. Estaba seguro: ese juramento se cumpliría como un acto de Dios. Solo así pudo dar a sus palabras el verdadero sentido de la amenaza. Se lo vi en la expresión... Y también Klaus Barbie. Vi su gesto de..., no sé..., de asombro y de... de satisfacción, eso es..., por la diferencia que apreciaba entre un cobarde y un hombre, entre un pobre pusilánime y un adversario digno de él. Me parece que fue entonces cuando decidió llevarse a mi pobre Daniel a Lyon para que Nouvelle dejara de desviar la atención de lo importante, aunque, contemplando a tu padre en ese momento, debió de comprender que sería inútil... por muy sofisticados que fueran sus métodos de tortura y por muy sádico que él sea.

No habíamos hablado de esto hasta hoy. Habían pasado semanas desde aquella escena.

Estuve un momento callada y luego dije:

—Nouvelle tiene que pagar. Tiene que pagar por papá y por Manuela.

Mamá asintió lentamente.

—Tiene que pagar —repitió.

—Sí.

Nuevamente hubo un largo silencio. Hacía un rato que había sacado a Manuela del baño y ahora la tenía sentada en la mesa del comedor como todas las noches. Así terminaba de secarla con una toalla limpia antes de ponerle el pijama, a falta de camisones. Cuánta ternura: Manuela en pijama era aún más femenina que si hubiera tenido puesto el más cursi de los camisones.

Recordándolo, parece mentira que yo pudiera estar mimando a mi hija, secándola, dándole besos, acariciándola, al tiempo que decidía con toda frialdad la muerte de un ser humano. No tiene explicación; solo que fuera una sentencia despegada de mí, inevitable, como si yo no interviniera en ella. Dos planos diferentes, separados el uno del otro, uno de ellos tan fuera de la realidad cotidiana que parecía incapaz de afectar a la rutina de una vulgar familia de provincias.

—Ta —dijo Manuela, riendo. Hizo más pompas de saliva.

—Sí, mi amor. —Le di un sonoro beso en una mejilla.

—¿Te das cuenta de lo que significa mandar ejecutar a Nouvelle, específicamente a Nouvelle? —preguntó mi madre.

Me encogí de hombros, por más que no sintiera aquella indiferencia: Dios mío, el peso de todo.

—Bueno, estamos en guerra —contesté. Me latía el corazón con fuerza.

—No. La muerte de Nouvelle no es una acción de guerra. Es una venganza. Personal. Tuya y mía. Será mejor que nos acostumbremos a la idea.

—Ya lo sé.

—Pero nunca olvides que una cosa así es muy difícil de llevar a la práctica, Marie. —Me sorprendió la frialdad con que lo decía—. No por el atentado en sí, sino porque inevitablemente desencadenará represalias... —Comprendí que la que hablaba en ese momento era Moineau. No mamá, sino Moineau.

—¿Represalias de los nazis? ¿Por la muerte de un francés? ¿Por muy miliciano vendido que sea?

—Desde luego. No seas ingenua. A Barbie le es indiferente que Nouvelle muera, claro. Probablemente le gustaría matarlo a él mismo por el desprecio que le inspira. Pero, así y todo, no puede permitir que haya atentados en su territorio. Sería un desafío a su autoridad. No. Si matamos a Nouvelle, creo que vendrían directamente a por nosotras. Estamos marcadas. Me dice Blanchard que la Gestapo sospecha que la célula *Franc-Tireur* es fundamentalmente gente de la Michelin y que están buscando... Pero no saben, no saben hasta dónde llega. Todavía.

—¿Y cómo lo hacemos entonces?

Mamá no respondió.

A la mañana siguiente, como todos los días, saqué a mi niña a la calle. Hacía tiempo que ya no daba paseos lejos de casa, por el bosque y los jardines de la universidad. Me preocupaban Nouvelle y su banda de asesinos patrullando por Clermont. Si me acompañaba Alain, iba relativamente tranquila, pero sola no quería arriesgarme a un encuentro inesperado y desagradable. Hacía al menos dos semanas que tampoco me topaba con Pierre, el hijo de Nouvelle. Una sola vez lo distinguí a lo lejos, pero me vio y se escabulló. Respiré aliviada. Nada podía disgustarme más que contemplar de cerca su cara culpable y oírle farfullar explicaciones sin sentido o aún peor: notar su rencor por lo que nos había hecho.

Hacía una mañana luminosa y templada.

No sé qué me indujo a creer que no podía pasarme nada. Era un día tranquilo y por una vez no se veían movimientos de tropas alemanas o desfiles de milicianos baladrones. En el extrarradio, lejos del centro, se hubiera dicho que estábamos en un pueblo de la montaña, aislados de todo. Olía a primavera y eso me pareció seguridad suficiente.

Fui andando despacio hacia la orilla del bosque. Hablaba a Manuela diciéndole tonterías, haciéndole preguntas sin respuesta y procurando no pensar demasiado en mis titubeos sentimentales nacidos puede que de la soledad, de la angustia, de las ausencias.

Allá, en una revuelta del camino, que, tapizado de hojas secas y liquen, se desviaba hacia la derecha para internarse en el bosque por entre los enormes castaños, de pronto apareció Nouvelle. Mi primer pensamiento fue que hablar de él con mamá la noche anterior había desencadenado una mecánica instantánea que hacía lógico este desenlace. Como si se hubieran conjurado las fuerzas del destino y la presencia del mismísimo diablo resultara inevitable.

Iba vestido con su uniforme azul de miliciano, boina atrás, pistolón al cinto, botas negras. Preparado para la batalla. Su porte habría resultado patético si no hubiera sido por la amenaza que encerraba. Pero al principio no tuve miedo. Me pareció un bufón de opereta.

Sonrió.

—Ajá, la putilla Weisman —exclamó como si me estuviera descubriendo por primera vez, lejos de todo, aislada en el bosque. Seguro que llevaba semanas intentando encontrarme a solas—. La putilla Weisman y su abortillo... Si no me hubiera dado lástima, ahora ese bebé estaría muerto. —Rio con estrépito—. Que es lo que se merece.

—Estás loco, Nouvelle. Déjanos en paz.

—Me vas a tener que tratar con más respeto... Ahora no tienes a nadie que te defienda, ¿eh?

Entonces cometí un error.

—Y tú no tienes a nadie que te acobarde solo con hablarte. ¿Ya te has repuesto del susto?

Se puso rojo y se le hinchó una vena en medio de la frente. Tenía saliva en la comisura de los labios, haciéndole un paréntesis reseco y blanco en torno a la boca.

—¿Susto? ¿Cuál susto, puta? Os perdoné la vida a todos para que el señorito alemán con su cara de nena y sus manitas delicadas pudiera interrogar a tu padre. Ya le habría dado yo interrogatorio para que supiera lo que es bueno. Y aun así, tu papaíto se meó en los pantalones antes de que lo fusilaran...

—¡No hables así de mi padre! No tienes lo que hay que tener para hablar de él.

—¿No tengo qué? —Se llevó la mano izquierda a los genitales—. Me sobran estos para tu padre y para echarte el polvo que me vas a agradecer, puta.

Manuela, con el instinto tan preciso de los niños para husmear situaciones desagradables, rompió a llorar. Se revolvió en la silla de su carrito y alargó los brazos para que la levantara. Me incliné hacia ella y la cogí en brazos; la pobrecita chillaba de desconsuelo. Entonces sí tuve miedo. Un miedo horrible. Maldije mi falta de habilidad. No debería haberme dejado llevar por mi primer impulso.

Con Manuela en brazos, levanté una mano.

—No he querido decir eso, Nouvelle. Lo siento. La muerte de mi padre ha sido muy triste y reacciono mal. Lo siento.

—¿Lo sientes? Ja, lo sientes... Me da igual lo que sientas.

—Espera. Vamos a dejarlo aquí... Déjame que me vaya con mi niña a casa. La pobrecita no te ha hecho nada. Venga, déjame que me la lleve y luego, si quieres, vuelvo y hablamos.

Volvió a reír como si se tratara de una broma.

—¿Irte a casa? ¿Volver luego? Esto se está poniendo divertido. No, Weisman. Tú vas a venir adonde estoy y te vas a poner de rodillas y me la vas a chupar hasta que me canse y luego voy a terminar lo que empezamos el otro día...

Ahora Manuela lloraba con grandes sollozos que la sacudían toda entera. Casi no podía respirar. Me había puesto los brazos alrededor del cuello y apretaba con todas sus fuerzas. Pensé: terminar así. ¿Aquí se acaba nuestra vida? ¿Así, sin más? ¡Qué desperdicio! No me lo podía creer.

Nouvelle separó las piernas y se quedó plantado en el camino, como si fuera un Mussolini cualquiera. Con la mano derecha deshizo el botón de la cartuchera y, muy despacio, sacó el pistolón. Como la otra vez en el salón de casa.

—Ven aquí y haz que esa niña deje de llorar o la mato antes de tiempo.

Detrás de él, a una veintena de metros, en el mismo borde de los árboles, apareció Pierre, su hijo. Tenía los ojos espantados, muy abiertos y levantaba una mano en muda súplica. No conseguía hablar.

Respiré hondo. Pensé que si Pierre no llegaba a pararlo, Nouvelle acabaría acercándose y me daría la oportunidad de luchar contra él y, a lo mejor, de arrebatarle el arma.

—¿Vas a permitir que tu hijo sea testigo de esta salvajada?

Volvió la cabeza y lo vio medio escondido detrás de un árbol.

—¡Ven aquí, muchacho! Que vas a ver cómo se hace justicia en Francia con las putas y los traidores...

Pierre quiso dar marcha atrás. Supuse que quería echar a correr para alejarse de esta escena. La violencia cargada en el aire era insoportable.

—¡Ven aquí, te digo!

El joven se detuvo y después dio dos pasos inseguros hacia donde estábamos.

—¡Ven aquí! ¿O es que te da miedo? ¿Miedo, con tu padre aquí?

Manuela seguía llorando a gritos. Quise volverla a sentar en la sillita para tener las manos libres y poderme defender, pero no se dejó.

—¡Haz que tu hija se calle o le descerrajo un tiro antes de...!

—Calla, mi niña, cielo, calla —le imploré, meciéndola con todo el calor de que era capaz. Otras veces, con otras llantinas, conseguía calmarla. Esta vez, no.

Miré hacia los grandes árboles y también me pregunté si me daría tiempo a llegar hasta ellos. Pero Nouvelle no me dio ocasión, se plantó a dos pasos de mí y gritó enloquecido:

—¡Ha llegado la hora! Mira bien a tu hija, ¡mírala!

—¡No te ha hecho nada! —grité—. Mátame a mí, pero a ella no le hagas daño. ¿De qué te sirve?

Nouvelle sonrió; había detectado mi desesperación. Levantó la mano en la que llevaba el arma y, de un golpe seco, me cruzó la cara con ella. El dolor fue horroroso. Sentí que se me reventaba el pómulo. Caí al suelo y solté a Manuela, que enseguida se sentó en la hierba y, llorando con desconsuelo, alargó los brazos para que la cogiera de nuevo. Me decía el instinto que lo primero era protegerla, impedir que sufriera. Pensé que lo mejor era alejarla, para que Nouvelle me eligiera a mí como blanco, pero no me dio tiempo.

—¡No hay piedad para los traidores! —gritó—. Y además, tu estirpe acaba aquí hoy. Hoy morís todas... El aborto primero. Ah, sí. —Una carcajada enloquecida—. Una judía menos, qué digo, ¡dos judías menos! Y cuando cace a tu madre, tres.

Levantó la pistola y apuntó a mi pobre niña. Aún no sé bien cómo lo hice, pero me incorporé y de un salto cubrí a Manuela con mi cuerpo.

Me quedé en cuclillas a esperar.

Sonó un disparo. Oí que Nouvelle exhalaba el aire con violencia, de un solo golpe, como un eructo. No comprendí por qué no notaba nada, por qué no me dolía si tenía que estar muerta. Solo el pómulo a grandes latidos. Dos disparos más.

Giré la cabeza para mirar a mi asesino.

Se había desplomado. Estaba en el suelo y se le veía un gran desgarro en el cuello, por donde la sangre le salía a borbotones con cada latido de su corazón. Tenía otra enorme herida en el pecho y se sacudía como si le dieran descargas eléctricas en todo el cuerpo. Durante unos segundos se le estuvo escapando de la garganta un gemido lastimero. Tenía los ojos muy abiertos. Parpadeó dos o tres veces y después se quedó inmóvil mansamente.

Manuela seguía dando alaridos y sollozaba, contrayendo el pecho a sacudidas, como hacen los pequeños cuando no les quedan ya lágrimas. ¡Pobrecita mía! Estaba confusa y tan asustada. «Ya —le canturreé meciéndola—, ya pasó todo, ya. Se acabó». Me acarició la mejilla y luego se miró la mano manchada de mi sangre; dejó de llorar de golpe y frunció el ceño. Se le escapó un único sollozo.

Bastante más allá, Pierre corría como un loco, alejándose de nosotros, saltando por encima de arbustos, tropezando con las piedras del camino, resbalando sobre charcos de lluvia reciente y sobre el musgo.

Me había quedado paralizada, sin comprender lo ocurrido. ¡Era yo quien debía estar muerta, yo en el suelo desangrándome en lugar de Nouvelle!

Apreté a Manuela entre mis brazos con la intención de levantarme pero tardé mucho en ponerme en pie. Me fallaban las fuerzas. Jadeaba. Me dolía mucho la cara. Por fin pude incorporarme y, por detrás de su cabecita, acerté a dirigir nuevamente una fugaz mirada a Nouvelle. Ahora del cuello y del pecho solo le salían hilillos de sangre manchándolo todo: la camisa parda empapada, igual que las hombreras de su uniforme. Su boina había rodado sobre la hierba del camino. Tenía la cara exangüe, muy blanca. El pelo negro planchado con gomina se le había alborotado por detrás al caer. Lo peor, sin embargo, eran sus ojos abiertos mirándome con fijeza.

Una carcasa sin vida. ¿Era esto a quien había prometido ser su infierno?

Giré sobre mí misma mirando a todos lados. No podía ser que nadie hubiera oído el disparo, que nadie estuviera andando por el bosque en aquel momento. Alguien había disparado. ¡Tenía que irme de ahí!

Con una mano agarré el carrito y con la otra puse a Manuela a horcajadas sobre mi cadera. Quise huir, pero después de dar apenas dos pasos, de detrás del más cercano de los grandes árboles del bosque, apareció la figura desgalichada de Alain. En la mano llevaba la pistola con la que acababa de matar a Nouvelle. Me sobresalté.

—¡Alain! —grité—. Alain, oh, Dios mío.

Vino corriendo hacia mí y me abrazó con fuerza.

—Ah, Marie, qué miedo me has hecho pasar. Oí que te daba grandes voces insultándote y creí que no llegaría a tiempo. ¡Tienes una herida en la cara! Por Dios, ahora te curo...

Cogió el carrito de Manuela con una mano y tiró de mí con la otra. Me dejé arrastrar hasta unos metros más allá; desde allí solo se veían las botas de Nouvelle, caído en la maleza. Hubiera querido seguir andando, alejarme con mi niña a cuestas, pero no fui capaz. Me sentía fatal. Me dolía mucho la cara. Se me había revuelto el estómago y me había subido de golpe un sudor frío por los costados hasta las axilas. Me mareé, todo me daba vueltas. Tuve que apoyarme en el brazo de Alain para no caer. Cerré los ojos, agaché la cabeza y respiré despacio.

—Dios mío —dije por fin—, está muerto. Muerto, Alain. ¿Qué podemos hacer ahora?

No me entendió.

—Habrá que esconder el cadáver —dijo.

—No, no es eso. Es que por mi culpa ha muerto un hombre...

—Lo tenía merecido... Fue el causante de la muerte de tu padre.

Levanté la cabeza y la sacudí de derecha a izquierda sin comprender. ¡Apenas unas horas antes me prometía matar a aquel miserable con mis propias manos! Y ahora matar, el hecho de matar y sus consecuencias, la muerte, me resultaban de pronto inaguantables.

Manuela dijo «mami» y, más tranquila, apoyó su cabecita en mi hombro. Tenía el pelo manchado de mi sangre. La acaricié y repetí: «Ya, ya se acabó».

—Tienes la cara llena de sangre. Espera que te limpie un poco —dijo Alain. Con un pañuelo que llevaba en el bolsillo me restañó la herida como pudo, sin apretar demasiado. «Ay», decía yo—. Toma, sujétate el pañuelo contra la mejilla. Te debió de dar con la culata...

—Gracias por salvarme la vida —murmuré. Miré a Alain a los ojos y acerqué mi cabeza a la suya. Sin saber por qué, me encontré besándolo, rendida de angustia y de alivio. También él perdió el sentido, no iba a perderlo si yo le abría las puertas, y me cubrió a su vez la cara de besos, en todos lados, hasta en los dedos que sujetaban el pañuelo, en los ojos, en la boca, en la nariz y en las orejas. Y, de pronto, en el cuello. Sentí que la excitación me subía irresistible por la entraña.

—No —dije entonces, y lo empujé hacia atrás con el hombro—. No. No puedo.

¿Cómo? ¿El flirteo de días atrás era tentador, lo permitía el desamparo, pero esto no? Estaba siendo injusta con Alain. ¿No le había dado pie? ¿Y ahora lo rechazaba sabiendo perfectamente lo que sentía por mí? Ay, Manuel, me acordé repentinamente, cuánto lo echaba de menos.

—No —repetí—. Esto es una locura. No.

Alain se echó hacia atrás con los ojos cerrados. Jadeaba.

—Yo... Yo... —balbució—. Perdóname, Marie, por Dios, perdóname. No sé lo que me ha pasado... —Se apartó por completo de mí y abrió los ojos—. No sé.

—No digas nada más. —Le tapé la boca con la mano y el pañuelo que sujetaba cayó al suelo. Manuela, colgada de mi cadera, también alargó su brazo y le acarició la mejilla. Alain se agachó para coger el pañuelo y con ese gesto el hechizo se rompió—. Olvidémoslo. Es mejor así.

—¡He pasado tanto miedo por ti!

Miré de nuevo a Nouvelle caído en el suelo de hojas y empecé a andar para alejarme de este horror.

—¿Qué vamos a hacer ahora? —insistí.

—¿Y qué podemos hacer?

—No sé. Tendremos que encontrar a su hijo...

—¿Y?

—Bueno, habrá que explicarle que su padre está ahí, tirado en el suelo, con un balazo en el cuello y otro en el pecho...

—¡Pero él lo ha visto todo!

—Ya lo sé. Habrá que esconder a Nouvelle y...

—¿Esconderlo? No hay tiempo para eso, Marie. Pierre debe de estar buscando a la Milicia para contarles lo que ha pasado. Estarán aquí dentro de no más de una hora... Ven. Vamos. ¡No perdamos tiempo!

—Pero... pero Pierre es de los nuestros. No nos delatará.

—¿No? Es peor que eso. Ya delató a tu padre y mira... Ahora he matado al suyo. Su lealtad está con ellos. —Todo esto me lo decía jadeando, mientras andábamos velozmente hacia casa—. No hay tiempo que perder... Tú, hoy, tienes que desaparecer de Clermont, esfumarte. Y tu madre, también. Porque, aunque al hijo de Nouvelle no le hayáis contado nada desde que detuvieron a tu padre, sabe dónde encontrarnos. ¿No querrá vengarse?

—¿Y qué hago?

—Te vas hoy, esta noche. Yo os acompañaré para protegeros.

—¡No! No debes arriesgar tu vida más de lo que ya lo has hecho.

—Esto no se discute, Marie. Anda, dame a la niña, que iremos más deprisa. El tiempo es oro. Y vuela.

Así fue como, inopinadamente, volví a París con mi bebé en brazos.

El 30 de mayo de 1943, la Ciudad de la Luz.

En el peor momento de la ocupación nazi.

Y dentro llevaba viva la venganza.

17

Francia no estaba en guerra, me decía camino de París. No al menos en la forma convencional de lo que entendemos por guerra: no había trincheras, no había cañones ni bombardeos, no había heridos arrastrándose por entre los alambres de espino ni carreteras con miles de refugiados que llevaran sus pocas pertenencias encima de carretas y viejos coches destartalados, ni los aviones de combate atacaban a los pobres inocentes que se refugiaban en las cunetas. No había iglesias derruidas ni reventados monumentos a los héroes de la primera guerra. Nada de eso. Eso se había acabado en 1940 cuando los alemanes arrasaron Francia, dividieron al país en dos, le entregaron la mitad a un viejo mariscal chocho que se hacía ilusiones en Vichy y se quedaron con la parte más bonita, París incluido.

—Y empezó la esquizofrenia —le expliqué a Alain cuando todavía el compartimento iba vacío. Más tarde, cuando se llenó de viajeros, fue mucho más prudente dejar de hablar de todo aquello y simular que éramos una pareja joven viajando a la capital. Alain no sabía demasiado del mundo de fuera de Clermont, pero tenía la inteligencia despierta y la curiosidad, intacta. Hablar con él era agradable. Por eso seguimos charlando amigablemente, mientras el tren nos baqueteaba rumbo a París, como si la tragedia que todos vivíamos no fuera con nosotros y nos estuviéramos yendo de vacaciones a otro planeta—. Había tres o cuatro países en Francia, ¿sabes? Primero, el de los imbéciles de Vichy, que se pusieron a regenerar la República con el único método que conocían: castigar impartiendo beatería. Les parecía que con eso se llenaban de respetabilidad y creían que mandaban. Luego estaban los alemanes, que se reían de nosotros y se aprovechaban de nuestra policía, de nuestros ministerios, de la República, vamos, para que les hiciéramos el trabajo de administrar un país sin que tuvieran que esforzarse demasiado. Llevaban razón: hasta les hacíamos la faena sucia, deteníamos a franceses y los mandábamos a trabajar a Alemania a hacer cañones y tanques para la Wehrmacht. Con el mismo impulso y con verdadero entusiasmo, se pusieron a detener a judíos para enviarlos a no sé dónde. ¡Dios, el espectáculo de las estrellas amarillas colgadas de las solapas de inocentes andando por las calles de nuestras ciudades! Nos tenían ganas desde el asunto Dreyfus...

—Sí, nunca lo he entendido bien. ¿Qué nos habían hecho?

—Luego vinieron los colaboracionistas, a quienes Hitler y el nazismo les parece el no va más. Huy, están en todos lados. Luego está la Resistencia y los intelectuales de un lado y de otro. Mi padre hablaba mucho de esto. Le parecía una demencia, no que unos defendieran unas ideas y otros, otras. No. Le parecía trágico que hubiera franceses identificándose con dos bandos separados por una guerra. ¡Aj! Porque, cuando se acabe, ¿no irán unos a tomarse la revancha contra los otros? ¿Y qué será de Francia entonces?

Alain me miraba con los ojos brillantes de amor (me daba cuenta, sí) y de admiración, sin perder palabra de lo que le contaba: de vez en cuando enrojecía de golpe hasta la raíz del pelo y yo le decía: «No me estás escuchando». Entonces tragaba saliva y de su arrebol solo quedaba una respiración entrecortada, como si le faltara el aire. Todo esto me producía un poco de vergüenza y mucha ternura, pero ¿qué podía hacerle? Tomaba a Manuela en mis brazos para intentar establecer una barrera entre él y yo, la mecía y cada poco le decía cosas tiernas y le daba besos. No servía de nada.

El campo que desfilaba ante nuestros ojos por la ventanilla manchada de hollín parecía tranquilo y las ciudades y los pueblos por los que pasaba el tren y en los que se detenía cada poco tiempo, adormilados. No podíamos saber mucho de la que se avecinaba, aunque, como todos, yo no pudiera imaginar una reconquista de Francia sin muerte y destrucción. Como decía mamá, llegarían los americanos, desembarcarían los americanos, bombardearían los americanos, todo eso se veía venir. Lo sabíamos: eran nuestra única esperanza. ¿Y dónde estaban entonces, que no acababan de llegar?

Viajábamos en tren hacia París en ese final de mayo de 1943. Pese a cuánto insistí en que viniera con nosotros para así apartarla de los peligros que se cernían sobre ella, mamá había decidido quedarse en Clermont. Era Moineau, el Gorrión, y dirigía una célula de la Resistencia. No podía abandonar a su gente, explicó, sobre todo en aquel momento: un jefe de la Milicia había sido asesinado. Lo dijo como si yo no lo supiera, apartándome de la responsabilidad. Las represalias serían inevitables y ella se debía a su mundo, al mundo que había sido de su marido, mi padre. El momento era especialmente delicado: el final de la guerra estaba cerca, Hitler podía perderla (o ganarla) y, afirmaba mi madre, el desembarco aliado era inminente. Debíamos prepararnos.

Mamá se quedaba en Clermont y yo volvía con mi bebé a la ciudad que era la mía.

—Ten mucho cuidado, que llevas a Manuela contigo, hija.

—Ten tú mucho cuidado, mamá. Yo voy a París, a nuestro barrio de siempre, y tú te quedas aquí rodeada de enemigos.

—No me va a pasar nada. ¿Ves esta maleta? Me la llevo ahora mismo a mi nuevo escondite. Sé que el que yo haya desaparecido les hará comprender muchas cosas, no solo la muerte de Nouvelle...

—Razón de más para que te vengas conmigo a París, mami —imploré.

—No. Razón de menos, Marie. Alejada de mí, correrás menos peligro... Espera, tengo que lavarte la cara con más agua fría para que te baje la inflamación. ¿Te duele?

—No, no importa. —Me dio un escalofrío—. Cuando pienso en todo lo que ha pasado hoy, en el llanto de mi pobre Manuela, en un hombre muerto por mi culpa, en su hijo escapando como un loco, pobre, no ha hecho nada más que vivir aterrado por su padre, cuando recuerdo el momento en que, convencida de que Nouvelle me mataba, me acurruqué en el suelo esperando el disparo que acabaría conmigo, la verdad, mamá, una herida en el pómulo es bien poca cosa.

—Lo entiendo bien, Marie. Solo quería decir que conviene que esa mejilla mejore para que nadie pueda hacerte preguntas comprometidas... Me alegro de que Alain te acompañe.

—No digas eso. Alain debería quedarse aquí. No se le ha perdido nada en París y menos que nada, yo.

Mamá me miró con sus ojos tan fijos, una mirada que no perdía detalle. Fue a hablar pero al final no dijo nada; bastó con su silencio. Alargó la mano para seguir curándome la herida de la cara con la toalla mojada y el agua oxigenada.

—Mamá —dije entonces en voz baja—, no tengo más que un amor en la vida, un solo hombre, como tú tuviste un solo hombre. Sé que me espera en algún lugar y lo voy a buscar hasta que lo encuentre porque estoy convencida de que está vivo... Y no sé por qué, pero estoy segura de que Manuel me será devuelto en París, en las calles en las que él se jugó la vida por mí.

No dijo nada. Sonrió con algo de tristeza, como si no lo creyera.

En el compartimento ya lleno, preparamos la cena del bebé, que traíamos en un cestillo: un puré de patatas y zanahorias y unas hebras de carne de pollo. Estaba frío, pero no había modo de calentarlo y así se lo tuvo que tomar Manuela. Tenía hambre la pobre criatura y se lo comió sin rechistar. Ninguno de los restantes viajeros tuvo un solo gesto de simpatía hacia la niña. Luego vimos que una anciana que iba con nosotros sacó del bolsón un infiernillo de los de alcohol, lo puso en el suelo entre sus pies, lo prendió y se calentó un mejunje de aspecto poco apetecible; ni siquiera miró a los demás. En cuanto a nosotros dos, estábamos acostumbrados como todo el mundo a que nuestra alimentación fuera escasa e insípida. Se pasaba hambre en Francia. Claro que, en gran medida, las cosas dependían de la cantidad de dinero que estuviera uno dispuesto a gastar. La gente del campo tenía huevos y queso, algo de vino, rara vez carne y lo vendían al mejor postor. El racionamiento hacía el magro resto. En esta ocasión, sin embargo, la gente de la Resistencia había hecho acopio de comida para nosotros y llevábamos una canasta campesina llena de cosas; no pensaba consumirlas, claro. Reservaría todo lo que pudiera para mi pequeña hija.

La llegada a París estaba llena de riesgo. Era inevitable que hubiera controles de la Wehrmacht en la estación. ¿Cómo saber lo que pedían de nosotros los alemanes, lo que querían averiguar en la pretendida inocencia de nuestros rostros —el mío con herida en el pómulo— o en el examen de nuestra documentación? Cualquier papel falsificado era sin duda sencillo de adivinar y no quiero ni pensar lo que debían de aparentar los nuestros. Los míos, con un nombre y filiación supuestos, me los había facilitado en Vichy Manuel, gracias a un contacto que tenía en la secretaría del mariscal. Pero no tenía modo de saber si la documentación había sido cambiada, si la de Vichy ya valía en París ni si el domicilio que figuraba en ella sería dado como bueno. En todo caso, ya no me llamaba Marie Weisman, sino Marie Auvergnat, un apellido sin connotaciones judías, por Dios. «A lo mejor debería decir "por Jehová"», pensé.

Durante la noche, dos soldados alemanes acompañados de un miliciano de aire fiero, boina hacia atrás y armado hasta los dientes, abrieron con brutalidad la puerta corredera del compartimento. «*Papieren!*», rugió uno para acabar de despertar a los que dormíamos. Todos dimos los nuestros para que fueran examinados. Ninguno de los viajeros de aquel compartimento llevaba la estrella de David en la solapa, imagino que porque, con mi excepción, ninguno era judío. En mi caso era arriesgado, pero hacía años que había decidido no ponerme la dichosa estrella. ¿Ser humano y francés pero, además, judío? ¿Dónde se había visto eso? Yo era francesa y punto.

—¡Anda! —exclamó el miliciano en un francés con fuerte acento del Limousin—. Eh, tú, preciosidad —me interpeló—, ¿no te vendrías conmigo a nuestro vagón a pasar un poquito de calor?

Los demás viajeros se habían quedado paralizados de pavor y me miraban como si quisieran acusarme de un crimen que los afectaba a todos. Estuve por decirles que no se preocuparan, que yo no estaba circuncidada.

—Vamos, Michel, sigamos, que no tenemos toda la noche —le urgió uno de los soldados de la Wehrmacht, devolviendo el montón de documentos al viajero que tenía más cerca.

Y el tal Michel soltó una carcajada que se me antojó sucia. Los tres se marcharon, no sin antes correr nuevamente la puerta para cerrarla con la misma violencia con que la habían abierto. Pudo palparse en el compartimento un suspiro de alivio colectivo.

—¡Habrase visto! —dije en voz alta—. Tenemos que tener miedo en nuestro propio país. Adónde vamos a llegar...

Nadie dijo nada. La anciana del hornillo, que durante la interrupción había dejado de comer sin llegar a cerrar la boca, reanudó su cena mirando con sospecha a diestro y siniestro.

Cuando por fin llegamos a París y pudimos bajarnos del tren, el recorrido por el andén número 2 de la *gare* de Lyon se nos hizo interminable. Era lo primero que veíamos de nuestra ciudad (por la noche nos habían obligado a bajar las cortinas de hule que tapaban las ventanillas para que no se nos pudiera ver desde el aire). Nuestro vagón era de los últimos y me pareció que nos había tocado andar algo así como medio kilómetro hasta llegar a la barrera colocada antes del enorme vestíbulo de la estación. Allí esperaba un pelotón de soldados alemanes inspeccionando aleatoriamente la documentación de los viajeros que llegaban.

Yo llevaba a Manuela en brazos con la cabeza pegada a mi mejilla para que no se viera la herida. Iba dormida después de una noche eterna y ajetreada: para un bebé que anda a trompicones, gateando y corriendo, el pasillo de un vagón es un reto irresistible.

A mi lado, Alain acarreaba nerviosamente el par de bultos con nuestras pertenencias. «Tranquilo —le decía—, tranquilo, que no pasa nada». Me habría gustado sentir la misma calma que le recomendaba, pero no: iba nerviosa y asustada, sin saber cómo saldría de esta si me interpelaban después de haber examinado mis papeles y no habérselos creído.

Llegamos a la barrera. Me pareció que la apariencia de aquellos jovencitos vestidos con el uniforme alemán era menos ominosa que la impresión que daban desde la distancia.

—*Papieren, Ausweiss*, papeles, salvoconductos —exigía el que parecía mandar, un gordinflón con galones de sargento. Luego, la inspección era más somera de lo que cabía esperarse, salvo en el caso de algunos viajeros que no parecían cumplir con los requisitos exigibles, fueren estos cuales fueren. Los apartaban y los ponían a un lado bajo la vigilancia de un soldado armado.

Cuando llegó mi turno, sin mirarme, el gordinflón me mandó con los apartados. Manuela se había despertado y empezaba a hacer pucheros: mi pobre bebé estaba confusa, no reconocía el lugar ni la gente que, amontonada, presionaba contra todos nosotros. La algarabía era insoportable y a ella se añadía el lenguaje incomprensible de los altavoces, que alternaban instrucciones e información con marchas militares. Demasiado para mi hija.

Fue Manuela quien nos salvó con sus llantos. Sus gritos estridentes acabaron sacando de quicio a los alemanes. Con un gesto de impaciencia, el gordinflón nos mandó seguir. Y así, sin más, sin que nadie examinara nuestros papeles, nos encontramos en la calle, en el bulevar Diderot al lado del Sena, fuera de la estación que tan malos recuerdos me traía de mi último paso por ella casi tres años antes.

—Vamos al metro —le dije entonces a Alain.

—Nunca había estado en París —contestó él en voz baja.

—¿Nunca?

—No.

—Pues el metro es el sistema más cómodo de ir de un sitio a otro en esta ciudad. Creo que es de las pocas cosas que aún funcionan... Bueno, igual no. Ven, vamos.

Me recoloqué a Manuela a horcajadas sobre la cadera. Había dejado de llorar.

—¿Adónde vamos?

—A casa de mis padres... Bueno... a mi casa, en la que he vivido toda la vida. Está al lado de la Sorbona.

Alain, impresionado, abrió mucho los ojos.

—La Sorbona, ¿eh?

—Sí. Vivíamos allí. Papá compró un piso en la calle Domat cuando le dieron la cátedra de historia. Yo todavía iba al liceo. Era un trasto marimacho...

—Seguro que no...

—No digas tonterías, Alain.

—No, no..., perdona.

—Vamos.

Por lo que pude colegir, las líneas entre la estación de Lyon y la Sorbona funcionaban aquel día con un par de trasbordos. Era aleatorio y gran parte del tiempo las estaciones estaban cerradas por falta de electricidad. Hacía mucho calor bajo tierra, en los túneles y en las estaciones.

En nuestro vagón había un soldadito alemán muy joven, rubio, con pinta de ingenuo. El enemigo. Todos le hacían el vacío. Cuando entramos, estaba sentado sin nadie alrededor y, nada más verme con la niña a cuestas, se puso de pie, sonrió y me ofreció su asiento. Ni le miré; hice un gesto negativo con la cabeza. El soldadito se ruborizó. Luego se acercó a la puerta del vagón y se puso a mirar hacia fuera. En la siguiente parada se bajó sin volverse.

Nosotros fuimos un poco más allá: nos apeamos en la estación de Maubert, que era la mía cuando volvía del liceo tantos años atrás. La calle Domat estaba a dos pasos.

El portal de casa era, como todo el edificio, antiguo y oscuro. Al fondo arrancaba una lóbrega escalera y, en medio, una garita disimulada a la derecha del portón albergaba el minúsculo apartamento de la *concierge*, la portera, la señora Suzanne. En cambio, nuestro piso, decorado por mamá, siempre había sido luminoso, lleno de flores y telas alegres, abarrotado de libros: pasado el umbral de casa, desaparecía la oscuridad. Pero aquí abajo era otra historia.

—*Oui?* ¿Sí? —Oímos que decía una voz desde las profundidades de aquel siniestro portal.

—¿*Madame* Suzanne? Soy yo, Marie.

—¿Marie? ¡Dios mío, cuánto tiempo! Ven aquí que te vea. —De la garita asomó *madame* Suzanne, una mujer enjuta y pequeña, peinada con un ridículo moño que se había hecho en la coronilla; tenía el pelo entrecano y desde luego, muy sucio y grasiento. Llevaba puestas unas gafas de concha redondas y muy pequeñas y, en la comisura de la boca, un cigarrillo cuyo humeo le obligaba a mantener entrecerrado un ojo—. ¿Dónde estabas? Pero... pero ¿y este ángel? —quiso saber, señalando a mi bebé en brazos—. Venid aquí que os dé un beso... ¿Y este mocetón? —preguntó aludiendo a Alain.

—Ha venido a acompañarme para que no tuviera problemas y además cargara con los bultos. No es mucho lo que traigo, pero, en fin. Mi marido está en..., bueno, no sé dónde está..., luchando por ahí contra los alemanes. No hemos podido establecer contacto desde hace meses. —Sacudí la cabeza.

—Que no le pase nada. Seguro que no le pasará nada... En fin. Ya me enteré de lo de tu padre...

—¿Cómo? ¿Cómo te enteraste?

—¿Que lo habían fusilado los nazis? —Hizo un gesto con la barbilla—. Unos que viven en el segundo y que me parece que están en la Resistencia me lo contaron hace ya días. No sabes cuánto lo sentí. Tu padre era un hombre formidable... Después anduvo por aquí *madame* Letellier y...

—¿Olga Letellier? ¿Está aquí?

—Aquí no. Está en París, desde luego. Vino, me volvió a contar lo del profesor y me dijo que le parecía que vendríais desde Clermont. No se os había perdido nada por allí. Si llegabas, tenías que ir a su casa. Sabes donde es. Has vivido allí... Mira este bebé, qué guapo.

—Guapa.

—Bueno sí, guapa. ¿Y tu madre, que no la veo?

—Se ha quedado en Clermont para cerrar la casa... Pero dime de Olga Letellier.

—Bueno, está en su piso de la avenida Marceau y ya me dijo que fueras corriendo para allá. Ya sabes, que su casa es grande, que está la habitación para ti..., esas cosas.

—No, *madame* Suze. Me quiero quedar aquí en casa.

—Pues no será, Wizzie. —Ella, al igual que mis padres, me llamaba así desde mis tiempos del liceo—. Vuestra casa está ocupada por unos oficiales nazis... Ya sabes, lo han hecho con medio París: confiscan las casas, sobre todo de los que han huido...

Me dio un vuelco el corazón. Otra vez la misma historia: como en el piso de la plaza de Alma de Manuel, los alemanes habían confiscado nuestra casa. El recuerdo me volvió de sopetón: el comandante Von Neipperg en el salón de la casa de mi amor, reconociendo a Philippa von Hallen y engañándonos por puro placer sádico para que saliéramos corriendo y pudieran cazarnos como a ratas; mi detención en el cuartel general de la Gestapo de la avenida Foch; el sucio trato para que Manuel me recuperara a cambio de traicionar a la pobre Philippa... Todo. Qué horror.

Apoyé la mano sobre el tablón que servía de mostrador de la portería, partiendo en dos la puerta de acceso, cristal arriba, madera abajo, mal olor por todo.

—¿Cuánto hace que vino *madame* Olga?

—Nada, tres o cuatro días. Me dijo que ya no pensaba moverse de París hasta que esto terminara.

—¡Qué ánimo tiene! Muy bien —exclamé entonces con decisión—, iremos a casa de Olga. ¿A ella no le habrán confiscado el apartamento?

—Ah, Wizzie, no lo sé.

—¿Podría pedirte una cosa? Necesito poner al bebé sobre una mesa para lavarla un poco, cambiarle los pañales y darle de comer.

—Claro que sí. Además, te voy a hacer un favor: aquí abajo tengo un cochecito de bebé con su colchón y todo. Úsalo como quieras. —Bajó la voz—. No creo que vuelvan a buscarlo: era de los vecinos del cuarto, pero creo que se los llevaron en la *razzia* de judíos del Vel d'Hiv en julio pasado. Ya sabes, ¿eh?

—Ya sé.

Se encogió de hombros.

—Venga, trae a la niña. ¿Tienes algo que darle para que coma?

—Sí. No es mucho, pero en el campo comíamos más que en París. Ya sabes, patatas, con suerte zanahorias, pan mojado en leche... Conejo de vez en cuando...

—La veo muy flaquita.

—Ya, pero los niños están mejor así —afirmé decidida, sin creérmelo.

—Aquí, en París, entre los cupones de racionamiento y los mercados, Les Halles sobre todo, no se pasa muy bien, pero tampoco demasiado mal. Se pasa hambre, claro, y hay días en que no hay nada que llevarse a la boca. Es cuestión de dinero y, si tienes contactos fuera, en Normandía y en Auvergne, de vez en cuando recibes un paquete con cosas. Los alemanes de vuestro piso me dieron un pavo para la Navidad pasada; nos pasamos cuatro días comiendo. No, aquí lo malo es el frío: no hay nada para calentar las habitaciones; solo a veces algo de serrín...

En todo este tiempo, Alain no había pronunciado palabra. Solo nos miraba de una a otra descubriendo un mundo de penuria insospechado para él. Se hubiera dicho que esto que contábamos era distinto de lo que quería decir un país en guerra. La guerra era más salvaje, parecía, más en el aire, solo muerte y destrucción; nada que ver con la incomodidad de la falta de electricidad.

—Este invierno ha sido horroroso. No se podía estar en las casas por el frío. No había carbón ni madera ni nada. En los días buenos en los que el viejo Jean, el jardinero, te acuerdas de Jean, ¿eh?, traía algo de carbón de leña, encendíamos el brasero y así íbamos tirando... He vuelto a tener sabañones.

Tardamos mucho rato en llegar andando a la avenida Marceau siguiendo la orilla izquierda del río. Manuela iba encantada en el cochecito, haciendo ruiditos y mirando a todos lados. Para mí era un descanso llevarla así en lugar de a horcajadas y hubiera podido seguir andando el tiempo que quisiera.

Me resultaba chocante ver las calles de París desiertas, sin coches, sin transporte público, casi sin gente. Me sorprendió ver que mi ciudad estaba empalidecida, como exangüe: había perdido el color de los autobuses, de los automóviles, de los parisinos cruzando las avenidas a la carrera, entrando y saliendo de los grandes almacenes, deteniéndose en los bares a tomar un café, un *croissant* y un huevo duro. Había ciclistas, sí, bastantes, y unos medio-taxis a pedales que seguro recordaban a los *rickshaws* de Saigon. Hasta vimos a dos alemanes y a un francés con ropa de montar paseando a caballo por la avenida de Nueva York en dirección a la Torre Eiffel. Ni un automóvil circulando. Solo en lontananza, de vez en cuando, cruzaba un Mercedes con banderín de cruz gamada, seguido de una motocicleta o dos. Luego supimos que las aglomeraciones de gente se producían en Montmartre y en el bulevar Saint-Germain, cerca de la Sorbona, donde en los cafés clásicos se reunían los escritores, los intelectuales, los colaboracionistas, los dandis y los resistentes... No muy lejos de allí, en la calle de los Saints-Pères, descubrí unos días más tarde que había un café-estanco en donde era sabido que se reunían los periodistas resistentes e intercambiaban artículos y colaboraciones para la prensa clandestina. Allí fui a ofrecer mis servicios a los pocos días de llegar... Ah, bah, ¿de qué servía la resistencia intelectual cuando estábamos sometidos al invasor y solo podíamos dar un pueril testimonio de nuestra rabia?

Olga nos recibió con verdadera alegría, dando palmaditas de entusiasmo, abrazándonos una y otra vez. A Alain no, claro. A Manuela la cogió en brazos y no se cansó de darle besos y de hacerla bailar en redondo, de subirla hacia la ventana y luego bajarla al suelo y vuelta a empezar, hasta que a mi niña se le pasó la sorpresa del primer momento y empezó a reír como una loca.

—¡Ah, Olga! Cómo te he echado de menos. Qué contenta estoy de haber vuelto a esta casa...

—... Que es tan mía como tuya, lo sabes. ¡Tenía tantas ganas de verte! —De una mesita redonda que había a un lado del salón cogió una campanilla de plata y la hizo sonar con un tintineo alegre que inmediatamente sedujo a Manuela. «¡Yo!», exclamó, alargando la manita. Y en cuanto Olga se la dio, se puso a sacudirla con verdadero entusiasmo.

—*Madame* —dijo desde el umbral la misma doncella que había estado con Olga en Vichy desde tres años antes.

—¡Oh, Florentine! —exclamé—. ¿Cómo está?

—Ah, muy bien, *mademoiselle* Marie —contestó, haciendo una pequeña reverencia—, muy contenta de volverla a ver. ¿Y ese es su bebé? Qué preciosidad, *mademoiselle*. —Sonrió. Se volvió hacia Olga—: *Madame?*

—Sí, Florentine, vamos a organizar la habitación de la señorita Marie y de su niñita...

—¡Pero, Olga, no!

—¿Cómo no? No admito discusión: estás aquí, aquí te quedas hasta que todo esto se acabe. ¡Mi pobre amiga! Tu pobre padre. Tu pobre madre. ¡Cuánto he sufrido por ella! ¡Por las dos!

—Pero...

—No hay peros que valgan. Aquí os quedáis. Ven, siéntate aquí conmigo, que tienes muchísimas cosas que contarme. —Luego, mirando a Alain como si lo viera por primera vez, preguntó—: ¿Y este joven? ¿Qué va a hacer? ¿Se queda?

—Este joven, Alain, dormirá esta noche aquí si no te importa y mañana regresará a Clermont. —Alain quiso protestar, pero levanté una mano y no le dejé—. Tiene que volver para ayudar a mamá y protegerla. —Alain bajó la mirada rindiéndose—. Me salvó la vida, ¿sabes?

—¡Ah, otro héroe más! ¿La vida? Pero bueno, ¿te salvó la vida de verdad? ¡Qué emocionante! Vamos, siéntate y cuéntamelo todo sin dejarte nada en el tintero. ¡Dios mío, estas guerras! Cuánta valentía..., cuánto sufrimiento... Marie —dijo entonces—, ¿puedo darle unas grageas de Vichy a Manuela? Son muy dulces... Seguro que le gustan...

Unas horas después, antes de la caída de la tarde en aquel espléndido día de primavera parisina, Alain y yo estábamos sentados en un banco en la cabecera del puente de Alma; delante de nosotros Manuela, dormida en su cochecito. Enfrente, a nuestra derecha, la avenida Montaigne, la de las casas de moda, que invadían las elegantes entre las que reinaba Josée Laval, la hija del primer ministro de Pétain; hacia arriba, la avenida Jorge V, y a la izquierda, detrás de la plaza de Alma, arrancaba la avenida Marceau en la que vivía Olga.

Alain no sabía por qué estábamos ahí, por qué no habíamos seguido paseando por las orillas del Sena, desde las que algunos valientes ya se tiraban al río a nadar.

Yo no decía nada. Solo miraba al frente hacia el portal de la casa de Manuel, como si de pronto fuera a salir él de allí con sus andares atléticos y decididos y su cara inteligente y llena de humor. Como si fuera a acercarse a nosotros para cogerme en sus brazos y besarme con locura. Como si fuera a restablecer nuestra vida de amantes, sin interrupciones, sin peligro. Ay, pensaba, por qué no había admitido sus explicaciones de hacía años, por qué no habíamos corrido juntos la misma suerte de esta guerra, cómo nos habíamos separado sin remedio...

Alain me miraba sin comprender.

De pronto, sí, me puse rígida sin apartar la vista del portal, que estaba a unos cuarenta metros de donde nos sentábamos. Se había abierto una de sus hojas y de él salía, despreocupadamente, un oficial alemán, vestido de uniforme con elegancia, el porte recto, los modos firmes. La estampa misma del vencedor contemplando sus dominios. Allí estaba. Erwin Graf von Neipperg, el conde prusiano, con la cara marcada por la breve cicatriz de un duelo entre nobles. ¡Ah, cómo lo odiaba! La causa de todas mis desgracias.

Alain me miró con sorpresa.

—¿Quién es?

Le puse una mano en el brazo para callarlo. Me latía el corazón a toda velocidad. Notaba el pulso en la garganta y me faltaba el aire.

—¿Quién es?

En la distancia, bajando por la avenida Jorge V, venía un gran automóvil, un Mercedes descapotable con un banderín metálico rojo con la cruz gamada luciendo sobre el guardabarros. Von Neipperg miró hacia el coche, esperando que llegara a su altura, obviamente para subirse a él.

Antes de hacerlo, giró la cabeza observándolo todo con calma, hacia las avenidas, hacia el río y el puente. Su mirada se posó brevemente sobre nosotros. Me pareció ver que le asomaba una mínima sonrisa. ¿Me había visto? ¿Me había reconocido? ¡No podía ser! ¡Otra vez no! Se me encogió el estómago de furia y miedo.

—¿Quién es?

Von Neipperg, sin esperar a que del coche se bajara el escolta para abrirle la portezuela, la abrió él y se instaló en el gran asiento trasero de cuero verde.

Me pareció que levantaba una mano en señal de irónica despedida. ¿Era eso? ¿O había sido un gesto instintivo para acomodarse mejor en el asiento?

—¿Quién es? —repitió Alain.

Suspiré y, al cabo de un largo momento, pude decir:

—Es un miserable de la Gestapo, el peor de todos, Alain. Mi enemigo. Mi enemigo —afirmé vigorosamente con la cabeza—. Es mi enemigo, Alain. —Era tan evidente que había más profundidad en mi pasión, más que la simple constatación de una presencia, que no habló hasta que expliqué—: Es mi guerra, ¿sabes?

—¿Tu guerra? Marie, la guerra es de todos contra todos. No hay un solo enemigo. Hay millones de ellos...

—No. Sabes, he pensado mucho sobre por qué los que estamos en guerra estamos en guerra. Es sencillo, en realidad. Si no estamos encuadrados en un ejército, si somos meros civiles que padecemos la guerra a la fuerza, tenemos que buscar objetivos a nuestra medida que nos permitan sobrevivir, que nos permitan concentrarnos en lo que debemos hacer para defendernos: rabia, dignidad, miedo, humillación, venganza o supervivencia, ¿no?

—No sé, Marie. ¿Es eso?

—Es eso. A otros les da por esconderse aterrados. Son los objetivos de nuestras guerras, sin duda... creo. En una guerra, especialmente en esta guerra tan horrible, tenemos que fijarnos enemigos individuales, gente que justifique nuestra lucha.

—No, Marie. En una guerra somos todos contra todos, encuadrados en un ejército o a solas o subidos a un campanario. Da igual si hay o no hay generales ni tropa ni apoyos.

—Venga, Alain, ya sé que el enemigo, como aquí en París, viste de verde y está en todos lados. Frente a él o colaboras o luchas en la subversión...

—¡Claro!

—Pero esto no es lo mío. Me ha costado mucho tiempo comprenderlo. Mi guerra es contra los que me quitaron a Manuel, contra el que mató a mi padre, contra el que detuvo a Philippa... Son guerritas, lo sé, pequeñas acciones individuales, lo sé, pero son las únicas que identifico como posibles y dignas...

Él sacudió la cabeza y yo añadí con tono ecuánime, como si explicara el tamaño de mi bolso o el color de mi vestido:

—Ejecutaré a Von Neipperg, aunque sea lo último que haga en mi vida. Y le pegaré el tiro de gracia... Yo, con esta mano. El resto no es mi guerra —repetí con obstinación.

Tiempo después, Domingo me contó que eso mismo había dicho Manuel unos años antes, cuando había empezado todo.

La lucha de Manuel, dijo Domingo, tenía un único objeto: recuperarme. «La Guerra Marie», la llamó. «¿Y sabes lo que le dije? —preguntó Domingo—. Claro, le dije: por eso estamos en una guerra nueva, la tuya y la mía. Nunca he creído en países, en banderas, en patrias. ¡Qué patrias ni qué niño muerto! Tú y yo no pertenecemos a patria alguna, no somos de nadie que pelee contra otra gente. Nuestra guerra, Manolo, fíjate bien, eh, es para encontrar a Marie. No hay más. Y lo vamos a hacer. Te lo veo en la cara. Prepárate porque, buscándola, vamos a llevarnos por delante a cuanto nazi se nos ponga a tiro, a cuanto fascista, y si es Franco, mejor. Solo que esto de matar nazis es un premio aparte. Tú y yo a lo nuestro, eh».

Así me contó que lo hablaron.

PARÍS

AGOSTO DE 1944

18

A las nueve y veintiséis minutos de la tarde del 24 de agosto de 1944, las campanas de la catedral de Notre Dame empezaron a sonar casi al unísono. Primero, la gran campana, el bordón Emmanuel en la torre sur, seguida inmediatamente por las cuatro principales de la torre norte. Y de pronto, todo París, todas las iglesias de París se sumaron una tras otra a este concierto solemne y alegre a la vez. El tañido lo alcanzaba todo, envolvía calles y plazas y rincones oscuros, se deslizaba rodando por el río como olas, retumbaba en el pecho de la gente; su eco se multiplicaba y crecía sin fin. París festejaba su liberación con un estallido de vida. Tras años de sufrimiento, de desánimo, de miedo esperando este momento, París no ardía, no. Vibraba.

Cinco días antes, sabiendo que por fin llegaban los libertadores y, con ellos, la victoria, los parisinos se habían alzado en armas contra el ocupante luchando con todo. Acciones aisladas, barricadas, huelgas, hostigamiento.

Dos minutos antes, a las nueve y veinticuatro, La Nueve había llegado a la plaza del Ayuntamiento tras cruzar el puente de Austerlitz y seguir por la margen derecha del Sena. Delante, la oruga *Guadalajara*, detrás, el *jeep* del capitán Dronne y, algo distanciados, los demás. Todos en tromba, entonando puño en alto canciones republicanas de cuando la Guerra Civil en España.

Los soldados alemanes, que llevaban todo el día disparando desde las azoteas circundantes, callaron sus armas, sobrecogidos. Hubo un largo instante de silencio. (¿Qué estarían pensando? Ocupamos la ciudad, aún mandamos en ella, aún tenemos nuestros tanques por las calles y nuestros puestos de mando en los hoteles de lujo, ¿y los parisinos festejan ya su victoria?).

De un salto, Dronne se bajó de su vehículo y se puso a andar directamente hacia el gran portalón del ayuntamiento sin importarle ser un blanco fácil para los francotiradores. Amado Granell, rodeado de sus soldados, lo esperaba en la escalinata.

—Mi capitán, bienvenido a París...

—Gracias, Amado. Contento de verle. ¿Todo bien? No demasiadas dificultades para llegar, espero...

—No, llegamos sin incidentes a primera hora. Quedan algunos nidos de resistencia nazi en el entorno de la plaza y de Notre Dame —contestó el teniente levantando un brazo hacia una de las azoteas—, pero, bah, poca cosa y sin peligro... El lío está hacia la Concorde, el Ministerio de Marina, a lo largo del Sena... Barricadas y tanques... Pero se saben derrotados, creo. En fin, si le parece, le haré un informe detallado de la situación más tarde. Lo están esperando arriba. —Señaló hacia la gran escalera con un gesto de la barbilla—. El Consejo Nacional de la Resistencia y su presidente, Georges Bidault.

—Un momento —contestó el capitán. Hizo un gesto de llamada para que se acercara su oficial de trasmisiones, que acudió llevando el radio-trasmisor. Lo puso en el suelo. El capitán se acercó el micrófono a la boca—: Aquí Dronne, aquí Dronne, llamando al cuartel general. ¿Se me escucha?

Después de un momento en el que solo se oyó ruido de estática, sonó muy alto un «Aquí Leclerc al habla. ¿Dronne? Cambio».

—Mi general, le hablo desde la plaza del Ayuntamiento de París.

Se produjo un largo silencio durante el que apenas pudo percibirse un jadeo muy tenue al otro lado de la línea. Y luego:

—Repita, por favor.

—Estoy en la plaza del Ayuntamiento, mi general. Hemos llegado sin problemas. París ha caído... ¡Viva Francia!

Por el altavoz se oyó entonces un griterío entusiasta. Dronne alzó el micrófono para que también pudiera oírse al otro lado de la línea el ruido ensordecedor de las campanas, de la gente gritando.

—Dronne, el Consejo de la Resistencia lo está esperando. Suba a ponerse a su disposición. Buen trabajo. Hablaremos más tarde para que yo le indique el plan de acceso a París de las columnas de la 2ª DB, el Chad, ¿eh? —Dronne pudo percibir cómo Leclerc sonreía, si es que puede oírse el sonido de una sonrisa—. Y el lugar de la cita con el general De Gaulle. ¡Viva Francia!

—Muy bien, mi general, vamos para arriba. Hasta más tarde... Cambio y corto. Tome el mando, Granell.

—A la orden.

Marie también se había bajado del *jeep*. Dio unos pasos para colocarse al lado de Granell, que le dedicó una gran sonrisa. «Aquí estamos», dijo. A Marie se le saltaron las lágrimas. Se llevó una mano al pecho.

Mientras Dronne empezaba a subir la escalera, el teniente se dirigió con rapidez hacia el extremo de la plaza. El *Guadalajara* se había detenido en la esquina de la calle Rivoli y quienes iban en él, el Gitano, el Bigotes, Domingo y los demás, se habían dispuesto en círculo en posición de defensa, con las ametralladoras prontas a asegurar aquel sector de la plaza y disparando cortas ráfagas hacia los tejados. En el lado opuesto, cerca del río, se había detenido la oruga *Ebro*. Entre uno y otro, los demás camiones blindados y los tres tanques se dispusieron en forma de estrella alrededor de la plaza. La hicieron inexpugnable.

Desde un tejado directamente en línea con la fachada del ayuntamiento, los soldados alemanes que habían estado hostigando a los defensores del ayuntamiento desde por la mañana continuaron disparando sus ametralladoras. Pero faltaba el entusiasmo militar: no eran muchos y, sobre todo, era evidente que pensaban en conservar la vida por encima de todo.

—¡Campos! —gritó Granell—. Una sección a aquel tejado...

A los pocos minutos, las ametralladoras habían sido acalladas. Los soldados alemanes se rindieron y entregaron las armas. Bajaron desde la azotea manos en alto seguidos por tres hombretones de La Nueve. Hubieron estos de protegerlos de una multitud que, a poco que hubieran podido, los habría linchado.

—¡Hijos de puta! ¡Cobardes! —clamaban los franceses, acercando las caras desencajadas por la furia hasta pocos centímetros de las de los atemorizados alemanes.

Campos se interpuso con decisión.

—Sentados ahí, contra la pared, manos en la cabeza —ordenó.

—Eh, eh, eh, ¡quietos! ¡Son prisioneros! Eh, vosotros, ¡atrás! ¡No tocar! —gritaba uno muy fornido que se llamaba Bullosa—. Tú —dijo, agarrando por el brazo a un joven civil que parecía dispuesto a hacerse cargo de la situación—, aquí, vigilando, que no se te muevan... Son tus prisioneros, ¿eh? Que nadie se acerque. —Y como no parecía que el chico le entendiera bien, le habló en su francés macarrónico—: Tú, eh, *gardien*. Estos hijos de puta, *prisionières*. Si se quieren escapar, tú, pum pum. —Esto último lo entendieron todos.

El muchacho asintió y, mosquetón en ristre, se dispuso a la vigilancia de la media docena de soldados que se habían sentado contra la pared con los brazos ahora rodeando las rodillas y las cabezas gachas. Campos, que hablaba buen francés, tradujo riendo el parlamento de Bullosa. Pero todos lo habían comprendido de pe a pa.

Y mientras tanto, seguían sonando las campanas de Notre Dame repicándose en el eco de las iglesias de París. Un gentío creciente iba acudiendo a la plaza del Ayuntamiento. Llegaban parisinos por miles. Unos venían llorando, otros cantaban, besándose y abrazando a los soldados. Gritaban y agitaban banderas francesas, congregados allí, en la puerta de Francia, en el centro del corazón de la República. Mezcladas con el sonido solemne de las campanas, podían oírse las estrofas de *La Marsellesa*, repetidas una y otra vez en oleadas y confundidas por momentos con el *Ay, Carmela* o el *Himno de Riego* o el *No pasarán*, que entonaban los de La Nueve y los españoles de la Resistencia interior.

Marie se dio la vuelta mirando hacia donde Domingo se había bajado del *Guadalajara*. Lo vio allí, quieto en medio de la calle, y fue corriendo hacia él.

—¡Domingo! —Lo agarró por los brazos—. Pero ¿dónde está Manuel?

—¡Pero, Marie, chiquilla, ven aquí que te vuelva a abrazar! Te has quedado en los huesos, ¿eh? Pero sigues estando tan buena como siempre... Una huesuda con tetas... no es mi tipo, pero en fin...

—¿Y Manuel? —repitió ella con impaciencia.

—¿Manuel? ¿No lo has visto todavía? Por ahí debe de andar. No lo he vuelto a ver desde esta mañana en Vitry cuando el general mandó que La Nueve entrara en París. —Rio con estrépito—. No hacía más que repetir: ¿Encontraremos a Marie? ¿Tú crees que encontraremos a Marie?

Y yo le decía que sí, hombre, que está en París seguro, estará ahí subida a la Torre Eiffel mirando a ver si te ve, no te preocupes... ¿Para qué íbamos a haber hecho la «Guerra Marie» si no?

—Pero ¿dónde está él? —insistió con desesperación sacudiéndolo por la guerrera—, ¿dónde?

—Pues... cuando arrancamos hacia París, en Limours nos topamos con un batallón alemán haciéndonos frente y hubo que apartarlos. —Hizo un gesto despreciativo con la mano, como quien espanta una mosca—. A Manuel se le rompió de un morterazo una de las cadenas de su *Madrid* y se tuvo que quedar hasta que llegaran los del cuerpo de ingenieros a arreglárselo. Si le llega a caer encima el proyectil, no lo cuenta. Él no quería quedarse... Quería venir con nosotros..., pero no tuvo más remedio... y allí se quedó al borde de la cuneta... más cabreado que una mona. Se quiso subir con nosotros al *Coito Habanero*. Pero se tuvo que conformar con el *Madrid* que era el suyo, más bien *La cucaracha no puede caminar*, ¿eh? —Rio de nuevo.

—¡Pero, por Dios, Domingo! ¡Le puede haber pasado cualquier cosa! Pueden haberle herido... ¡Por Dios, dime que no!

—Qué va, *mamucé*, mal bicho nunca muere.

—No digas eso, que trae mala suerte.

Domingo miró entonces por encima de la cabeza de Marie en dirección al río y se puso de golpe muy serio. Ella tragó saliva.

—¿Qué pasa? —preguntó sin atreverse a mirar hacia atrás, consciente de la tensión—. Domingo, ¿qué pasa?

—¿Eh? Ah, nada. Me había parecido ver un carro alemán apostado al otro lado del río, apuntándonos. Pero no. Ya no tienen ni munición. ¡Vaya! Hablando del rey de Roma... mira por donde asoma. —Agarrándola por los hombros, la hizo girar sobre sí misma.

El último de los camiones-oruga de La Nueve hacía en ese momento su entrada en la plaza. Por debajo del parabrisas, sobre el marco del cristal blindado ponía, escrito con mayúsculas blancas, *MADRID*. Y en un costado ondeaba suavemente una bandera republicana española, la tricolor, rojo, amarillo, morado.

El camión se detuvo con un soplido de los frenos hidráulicos. Inmediatamente saltaron a la calzada nueve o diez soldados vestidos con uniformes americanos, los últimos españoles en llegar. «¡París! —gritó uno llamado Zubieta, poniendo los ojos en blanco—. ¡Nuncio, recuérdame que te pague el taxi!».

En medio de la plaza, Marie, petrificada, incapaz de moverse, tenía la mirada fija en la portezuela del camión-oruga. Temblaba como una hoja.

Por fin, la puerta se fue abriendo con un gran chirrido, como si fuera a desprenderse y caer al suelo; se hubiera dicho que a quien la empujaba le costaba gran trabajo hacerlo. Por fin, apoyándose con una mano en un gozne de la caja, apareció la figura alta y delgada de Manuel. Tenía la cara sucia de polvo y sudor y unas gafas de motorista encaramadas a la frente. Llevaba la cabeza sin cubrir.

Se bajó de un salto y quedó inmóvil, plantado a pocos metros de donde se encontraba Domingo, que sujetaba a Marie.

—¡Dom...! —empezó a gritar y calló bruscamente.

La había visto, rígida, de pie, incapaz de reaccionar. Si no hubiera sido porque la sujetaba Domingo firmemente, se habría desplomado sobre los adoquines.

—¿Marie?

Dio dos pasos inseguros hacia ellos.

—¿Marie? Por Dios, Marie...

Ella no dijo nada. Solo se desprendió de los brazos de Domingo con un gesto decidido de los hombros pero siguió inmóvil. Abrió la boca para hablar sin que de ella saliera sonido alguno, incapaz de pronunciar palabra.

Y Domingo, que de buena gana habría intervenido rompiendo el hielo, en fin, que le habría dado un empujón a ella hacia los brazos de Manuel, tuvo la presencia de espíritu de no decir nada, de no hacer nada, salvando así por instinto la magia que los envolvía a los tres.

—Has vuelto... —dijo ella por fin.

Manuel asintió.

—He vuelto... —Carraspeó—. ¿Me perdonas? Nunca he sabido si me perdonarías.

—¿Perdonar? Cuatro años buscándote, ¿y te tengo que perdonar? ¿Ahora?

Nada podía oírse de esta conversación sin ruido, hecha apenas de miradas, murmullos y gestos callados. Como secretos de alcoba, susurrados mientras alrededor de ellos bullía la calle, reía la gente, sonreían benévolos los soldados de La Nueve, tañían las campanas y se percibían a lo lejos ecos de la batalla que agonizaba. Una cacofonía ensordecedora para envolver a dos amantes silenciosos.

Un paso más. Luego, otro y otro hasta que se encontraron frente a frente, separados solo por un suspiro.

—Te busqué enseguida, ¿sabes? Abrí la puerta pero ya no estabas. Quise decirte que no importaba, que tenías razón..., pero ya te habías ido.

—Ah, Marie... Bajaba la escalera. Quería volver, pero tu castigo y mi culpa eran tales que creo que no me habría atrevido. Habíamos levantado un muro infranqueable entre nosotros.

—No era infranqueable.

—Durante todos estos años, noche y día he recordado tus últimas palabras. Noche y día. ¿Sabes cuáles fueron? Dijiste: «Algún día a lo mejor». Eso dijiste... Ha sido mi esperanza durante todo este tiempo: encontrarte y que me dijeras lo que hacía falta para que me perdonaras. ¿Qué hace falta, Marie?

—Nada, mi amor, no hacía falta nada. Ya lo habías conseguido antes de que fuéramos a París en tren desde Lux, antes de que me detuvieran, antes de todo. —Le caían las lágrimas deslizándose sobre las mejillas como salidas de un manantial diminuto.

—No te entiendo.

—Ah, Manuel... La tarde de nuestra última siesta en Les Baux antes de volver a Vichy y embarcarnos hacia París para intentar localizar a Philippa von Hallen, aquella tarde nació nuestra hija: me llenaste la entraña de tu hija... Y te he adorado sin parar desde entonces.

—¿Cómo? —preguntó Manuel, rompiendo el silencio con un rugido. Por debajo del polvo pegado a su cara como un empaste y de los regueros de sudor seco, Marie lo vio palidecer y se le desbordó el corazón.

—No lo supe hasta mucho después cuando ya no tenía remedio, cuando ya no estabas ni había forma de encontrar tu rastro. Fui con Olga a Les Baux a buscarte, pero ya te habías ido..., fíjate, dos días antes.

—¡Espera, espera, espera! ¿Tengo una hija dices? ¿Dónde está mi hija? ¿Cuándo nació? ¿Es tuya y mía? ¡No puede ser! —También se le habían llenado los ojos de lágrimas y ahora su rostro era un verdadero poema de suciedad, llanto y sudor.

—Manuela...

—¿Manuela? ¿Se llama Manuela? Manuela —repitió, haciendo rodar el sonido sobre la lengua, teniendo que dar respuesta a cada estímulo antes de pasar al siguiente.

—Calla, mi amor —dijo Marie, con los ojos brillantes—, calla... Nuestra niña nació el 11 de agosto de hace tres años, y cuando mamá me la puso en brazos, creí que me ahogaría de felicidad. En ese momento te quise más que nunca. ¿Y hablas de perdonar?

—Un momento —dijo entonces Domingo—, un momento, que yo aquí soy el padrino de la criatura. Vamos a dejarnos de monsergas. Aquí tenemos a una republicana nacida para luchar por la hermandad universal y debo certificar su origen inmaculado. —Le encantó la frase—. Inmaculado, sí señor. Me cago en Dios, ¡viva la revolución!

Manuel alargó por fin la mano y tocó el antebrazo de Marie.

—¿Dónde está?

—Aquí en París, en casa de Olga —contestó Marie, segura ya de que estaba a un paso de desmayarse.

Manuel dejó que su mano vagara por el brazo de ella, subiendo despacio por la manga de la camisa y por debajo del peto del mono mojado de lluvia que Marie llevaba puesto, hasta acariciarle con ligereza un pecho, con la intimidad recuperada de los gestos simples.

—¿Y cómo llegamos hasta allí? —murmuró—. Oh, Marie. —Y la besó despacio, como si no hubiera prisa por hacer nada y además les quedara todo el tiempo del mundo para hacerlo. Allí, en medio de la plaza del Ayuntamiento.

Fue como si entre los dos hubieran accionado un inmenso interruptor de electricidad: en aquel preciso momento (o eso les pareció), París se incendió como una brasa, como un árbol de Navidad. Mataron la oscuridad de la noche, ¡cuatro años de tinieblas! Las persianas volaron abiertas, las arañas de los salones ardieron, los portales se iluminaron, las farolas se encendieron, la gente se asomó a los balcones riendo, muchos con velas desparramando luz, preparados para una procesión triunfal. El despertar de toda Francia. ¿Aviones enemigos? ¡Y qué importaban! Hasta los cañones y los tanques alemanes enmudecieron.

—No podemos —dijo Marie. Suspiró—. Manuela está bien escondida en casa de Olga en la avenida Marceau y esta noche no tenemos modo de llegar hasta allí.

—¿Está segura?

Marie dejó escapar una alegre risa.

—Cinco minutos ¿y ya ejerces de padre severo? ¡Claro que está segura!

El teniente Granell se acercó a ellos.

—Nuncio —dijo.

—¿Nuncio? —preguntó Marie en voz baja.

—Tonterías —contestó Manuel.

—Nuncio, dentro de siete horas, La Nueve y la Once saldrán de aquí para tomar la central telefónica la una y seguir la otra por la calle Rivoli hasta el hotel Meurice...

—No veo a la Once, teniente.

—Llegarán al frente de una de las columnas del general Leclerc, no os preocupéis por eso. Estarán aquí. Os pondréis en contacto con los republicanos españoles de la Resistencia de París...

—¿Entra la 2ª DB? ¿El Chad? —Sonrieron todos.

—Con Leclerc al frente, desde la puerta de Orleans. Una de las columnas llegará hasta aquí, otra ocupará el sur y la tercera se dirigirá a la estación de Montparnasse. Allí se ha citado Leclerc con el general De Gaulle.

—Muy bien.

—La sección de Elías, *Gabacho*, irá a desalojar la central. La tuya, al hotel Meurice.

—Siempre he querido alojarme en el Meurice...

—Señorito hasta el final, ¿ves? —dijo Domingo.

—No te va a ser fácil, Nuncio...

—¿Nuncio? —volvió a preguntar Marie.

—Tonterías.

—Di que no son tonterías —intervino Domingo.

—En el hotel está el cuartel general de los alemanes... En el primer piso, en las ventanas que dan al jardín de las Tullerías, la suite del general Von Choltitz. Allí es donde vas a tener que llegar, Nuncio...

—No preguntes —le dijo Domingo a Marie.

—Es allí donde vas a tener que hacer que se rindan...

—¿Yo?

—¿Él? —preguntó Marie alarmada.

—Tú. Pero no te preocupes, que no vas solo. Vas a la cabeza de un grupo de combate de la 2ª BD al mando del teniente coronel La Horie. O sea que, probablemente, será él quien obtenga la rendición.

—Muy bien.

Granell los miró a los dos.

—Tenéis cinco horas.

Sonrió.

Se refugiaron en el primer piso del ayuntamiento, donde estaba instalada una enfermería de emergencia. Marie había trabajado en aquel improvisado hospital de campaña desde el principio de la insurrección cinco días antes. En la parte más recóndita de la planta había un cubículo con tabiques de madera y cristales esmerilados, usado hasta entonces como cuarto de limpieza. En medio del cuartucho había una camilla que había sido blanca y que ahora tenía la pintura descascarillada. Marie le había puesto un colchón encima para poder dormir a ratos cuando no podía volver a casa de Olga para estar con Manuela.

Tiró del colchón y lo dejó caer al suelo. Levantó la vista y miró a Manuel en silencio. Después, con un gesto de los hombros, se desembarazó de los tirantes del mono y dejó que cayera al suelo. Se desabrochó la camisa y también se la quitó.

Cuando redescubrió los pechos que nunca había olvidado, Manuel tuvo que ahogar un gemido de añoranza. Bajó la mirada al ombligo de Marie y cerró los ojos.

—Ahora tú —dijo ella.

Dio un paso al frente por encima del colchón y se quitó las zapatillas y las bragas. Completamente desnuda, dobló las rodillas y se dejó caer al suelo.

—Ahora tú —repitió.

En un instante, Manuel se quitó toda la ropa y con una erección antigua, casi dolorosa, de tres años, se puso de rodillas al lado de Marie.

No se tocaron. Estuvieron mirándose durante un buen rato, hasta que Marie alargó la mano y tomó posesión de él. Se le escapó una risa silenciosa.

—¿De qué te ríes?

—De que hacemos el amor en los sitios más extraños... Este colchón me parece una isla en el Pacífico.

Bajo la luz mísera que arrojaba una bombilla asmática, Manuel añadió:

—Y eso es como la luna llena...

Se tumbó sobre ella y casi sin saber cómo, se encontró dentro, en el interior de un jardín que olía a flores y frutas, que le llamaba y lo retenía.

—Hmmm —murmuró Marie—, ¿dónde has estado, amor?

—Buscándote...

—Hmmm... esa curvita.

—¿Qué?

—Yo me entiendo... ¡No pares! ¡No pares, no pares! Oh, Dios mío...

—Oh, Dios mío —gritó Manuel.

Y se fundieron en un largo orgasmo, inesperado y violento.

—No te despegues de mí —imploró ella.

Manuel le besó la garganta y las clavículas y luego, los pechos y las costillas, «¡Ahí no, que me haces cosquillas!», y el ombligo y, por fin, volvió a hundir la cara en la mata encendida, pelirroja e impúdica de Marie, su obsesión en las noches de sueño y vino. Le provocó un orgasmo detrás de otro, como si la ansiedad de ella fuera inagotable y Marie le respondió con la misma pasión, forzándole, comiéndole. Hasta que ambos cayeron agotados y abiertos sobre el colchón. Había sido brutal, sin un atisbo de dulzura, solo cuatro años de recuerdos y angustia, de pesadillas y sudores fríos.

—No te va a pasar nada, ¿verdad?

—¿Eh?

—Que no vas a hacer tonterías subido a ese horrible camión.

—Tengo lo que los árabes llaman *baraka*.

—¿Qué?

—*Baraka*, protección divina contra los males y las armas enemigas...

—Ya, pues dile a Alá que como te pase algo, se las va a tener que ver conmigo, que soy peor que las armas enemigas.

—En realidad, eres más dulce que la miel del desierto y poca cosa como enemiga.

—No vas a hacer tonterías, ¿eh?

—No. Espera, ven aquí...

—¿Más cerca?

—... Ven aquí y cuéntame cómo es Manuela.

El capitán Dronne bajó a la plaza y la recorrió andando, mirando a sus hombres. Todos seguían cantando y riendo y bebiendo el vino que les traían los parisinos de alrededor. Sonrió para sus adentros: las botellas bebidas a coleto eran todas de grandes reservas de burdeos y de borgoña, salidas, sin duda, de los mejores hoteles de la redonda.

Fue despacio hasta apoyarse contra el muro del ayuntamiento. En una esquina, sus soldados habían amontonado mochilas, guerreras y mantas, muchas de ellas pertenecientes a soldados alemanes que habían sido hechos prisioneros. Se dejó caer sobre ellas y quedó instantáneamente dormido.

Eran las dos de la madrugada del 25 de agosto.

La edición parisina de *Libération* de aquella mañana llevaba un gran titular a ocho columnas: «*Ils sont arrivés*» —Han llegado—, y debajo una foto en la que aparecían el prefecto de la policía, el presidente del Consejo Nacional de la Resistencia y Amado Granell. En ningún sitio decía que se trataba de Granell, un republicano español, el primero del ejército aliado de liberación en llegar al ayuntamiento de París; solo lo nombraba como oficial de la división del general Leclerc.

—¡Hijos de puta! —exclamó Domingo—. Estos cabrones van a decir ahora que eran todos franceses.

—¿Y a ti qué más te da? Estamos en París, ¿no? —dijo Manuel.

—¡Claro! Tú que estás enamorado. Hale, ya no pensamos más que en el este de Marie y a los demás que nos den...

—Venga, Domingo. Nosotros a lo nuestro, que es ir al Meurice...

—¿Qué hacemos? ¿Desayunamos allí?

—Si no estáis de vuelta antes de las cinco, iré a por vosotros —dijo Marie.

—Bueno, vale, vale. Aquí estaremos... Palabra.

Mientras hablaban de estas tonterías, iban andando hacia el emplazamiento de los camiones de La Nueve para preparar el asalto al cuartel general alemán: seguir por la calle Rivoli hasta el mismo hotel y enfrentarse a una defensa cerrada de la Wehrmacht.

El teniente coronel La Horie acababa de llegar al frente de su grupo de combate, en su mayoría también españoles, y lo tenía formado en el arranque de la calle Rivoli en la esquina con la calle Lobau en la plaza misma del Ayuntamiento.

—La Nueve a sus órdenes, mi coronel —dijo el teniente Granell.

—¿Es usted el Nuncio? —preguntó La Horie, dirigiéndose a Manuel.

—Sí.

—Pues tome la cabecera detrás de la unidad de carros. Me dicen que tienen ustedes costumbre de ir delante.

—Le harán el trabajo perfectamente —intervino Granell—. Son..., bueno..., implacables, rápidos e imbatibles.

—Eso he oído, sí. Pues preparémonos. Esperaremos a que los alemanes contesten al ultimátum que les hemos hecho llegar. Tienen hasta las doce del mediodía. Si no lo hacen, nos pondremos en marcha hacia el hotel Meurice. Su misión: despejar toda la calle de alemanes y empujarlos hacia la Concorde. El trabajo pesado lo harán los carros. Hay barricadas a todo lo largo de Rivoli, sobre todo en las bocacalles. Aquí y aquí y aquí —añadió, señalando el mapa esquemático y de burdos trazos que tenía entre manos—, en la torre Saint Jacques, en el Châtelet, luego en la avenida de la Ópera, a la izquierda en los arcos de acceso al Louvre y los jardines, que casi no tienen protección; luego, en la calle de Argel en la esquina del Meurice. Nosotros nos desplegaremos detrás de sus orugas e iremos ocupando lo que vayan abandonando los alemanes en el trayecto y luchando para desalojar los focos de resistencia.

—Muy bien.

Manuel volvió la cabeza hacia la izquierda para mirar a Marie, que estaba quieta en la esquina de la plaza, pálida y con los ojos encendidos. «Vuelve —le había dicho—, no te atrevas a no volver. Capaz eres de haberme hecho otro hijo y este no lo quiero tener sola». Levantó la mano en señal de saludo y de un salto se encaramó al *Madrid*.

—¡Vamos, compañeros! Para luego es tarde.

Mientras arrancaban los motores de aquellas bestias de nueve toneladas, la otra sección de La Nueve, la del sargento Elías, se ponía en marcha en línea recta por la calle del Templo en dirección a la central telefónica, a pocos centenares de metros del ayuntamiento. Al mando, el capitán Dronne. Su misión: tomar la central y desmantelar los explosivos que la tenían trufada antes de que los alemanes los hicieran estallar. Fue un asalto duro en el que resultó gravemente herido el propio Elías junto con el soldado Cortés. Durante días, la broma en toda La Nueve fue que Cortés se había dejado cazar para que lo recogiera una enfermera apostada en una esquina de la calle de los Archivos y que estaba buenísima. Se acabó casando con ella unos cuantos meses después.

A final de mañana, los alemanes no habían contestado al ultimátum. El teniente coronel La Horie dio la orden de arrancar.

—¿A ti no te gustaría subir andando por esta puta calle en vez de ir en camión? —preguntó enseguida Domingo.

—No me importaría nada. En primavera es muy agradable —contestó Manuel, embragando para meter la reductora. Dio un acelerón y del tubo de escape salió un bufido de humo negro y un pestazo a gasoil mal carburado.

—Sin tener en cuenta que estamos en agosto. Eh, Domingo, no me gusta ir a la guerra haciendo bromas. Cállate, anda.

Nada más arrancar, la sección de carros se lanzó calle Rivoli arriba y los tanques, arrollando todo lo que se ponía a su paso, llegaron hasta la plaza de la Concorde a enfrentarse con los nidos de ametralladoras del Ministerio de Marina.

Los orugas de La Nueve, por su parte, empezaron a recibir impactos de ametralladora desde detrás mismo de la plaza del Ayuntamiento, nada más enfilar la calle. En las planchas blindadas de los parabrisas retumbaban como granizo, un fuego intensísimo al que los orugas contestaron con una lluvia de metralla. El tanque que iba a la izquierda de Manuel disparó entonces contra la barricada y la hizo saltar por los aires, mientras una docena de soldados alemanes se replegaban zigzagueando por entre portales y callejuelas. Corrían con sus armas a cuestas y sujetas a los cintos de sus guerreras saltaban sus granadas de mano, arriba abajo, como juguetes. Luego se arrojaban detrás de la barricada siguiente o a cubierto tras las arcadas de la acera derecha, se daban la vuelta recostados contra los adoquines y maderas o rodilla en tierra y reanudaban los disparos. La violencia de las explosiones hacía vibrar la calzada. A Manuel, todo aquello le recordaba el asalto a Écouché, por el ruido infernal y la cantidad espantosa de bajas que iban sufriendo los alemanes, desmembrados y retorcidos como marionetas. Un gran tanque alemán, guarecido detrás de la pila de objetos incongruentes, empezó a bajar su cañón para ponerlo a la altura de un disparo contra el tanque de La Nueve; no le dio tiempo: un obús afortunado reventó la torreta.

Un poco más allá, en el Châtelet, Manuel vio como un soldado se encaramaba a la barricada con una granada en la mano, dispuesto a lanzarla contra el oruga. «¡No! ¡No!», exclamó con desesperación justo en el momento en que una ráfaga de la ametralladora de Domingo lo segaba en dos. Se puso a gritar: «¡Me cago en la puta mierda!», y no dejó ya de dar alaridos que, en medio de la batalla, nadie era capaz de oír. Él sabía que eran de espanto; otros habrían podido creer que eran los gritos salvajes de un cazador sediento de sangre. Pero eran de espanto.

Desde las ventanas que daban a la calle Rivoli, les lanzaban granadas y disparaban sin cesar ráfagas de ametralladora. Incluso cuando la sección de carros había llegado a la Concorde después de despejar calles adyacentes y la batalla estaba prácticamente terminada, los alemanes seguían disparando desde el Ministerio de Marina y desde el hotel Crillon.

Fue una batalla durísima. Tardaron hora y media en llegar al frente del hotel Meurice, único lugar por el que podía intentarse el asalto y que, por consiguiente, estaba fieramente defendido.

Por la radio del *Madrid*, oyó que el teniente coronel La Horie decía: «¡No hay quien abra esta lata! ¡Nuncio!».

—¡Coronel! —gritó Manuel—. Desde donde yo veo esto, concentre el fuego por encima de mi blindado. Me bajaré e intentaré entrar en el hotel.

—Muy bien.

—¡Hay ametralladoras apostadas en los balcones! ¡Las vemos desde aquí! Y atención a los francotiradores...

—Tú estás loco, joder —rugió Domingo—. Es broma. Venga, vamos.

Los demás compañeros del *Madrid* ya se habían bajado abiertos en abanico, para cubrir la carrera de Manuel y de Domingo.

Y mientras llovían proyectiles sobre las defensas alemanas que empezaban a retroceder, ambos descendieron del camión doblados en dos y corrieron directamente hacia la entrada al Meurice de la calle Rivoli, amparados en la modesta protección que les permitían las arcadas de la calle. «¡Dios!», gritaba Manuel. «¡Me cago en la puta madre! —gritaba Domingo—. ¡Joder!»

Para seguir adelante, tuvieron que encaramarse a cadáveres y destrozos, cemento, madera y cristal, muebles reventados y arañas destrozadas. Y de pronto, se encontraron en el vestíbulo en penumbra. Al fondo, en el arranque de la escalera principal, un grupo de soldados alemanes disparaba sin cesar. Parecían dispuestos a vender cara la piel, aunque el pánico les impidiera disparar con precisión. Pero en cuanto vieron al resto de la sección de La Nueve que entraba desde la calle, dejaron caer sus armas y levantaron los brazos.

Mientras tanto, guarecidos detrás de una columna y tirados en el suelo, Manuel y Domingo se dieron un momento de respiro. Jadeaban casi sin aire.

—Joder, camarada, estos tíos no matarían ni un elefante a dos metros. ¿Ahora qué hacemos? Hay que moverse de aquí... Hay mucho alemán por todo el hotel.

—Sígueme.

A cuatro patas, Manuel salió de detrás de la columna seguido por Domingo. Enseguida alcanzaron un cubículo a la izquierda. Entraron en él y, a buen recaudo, pudieron ponerse de pie.

—Puf, tío, ¿cómo sabías dónde meterte?

Manuel sonrió.

—Ventajas de desayunar en el hotel... Aquí detrás hay una escalera disimulada que sube a los pisos... Ya sabes, para empleados, amantes y mujeres de la limpieza... Venga, vamos.

—¿Adónde?

—A hablar con el general.

Aunque el ruido de la batalla seguía siendo intenso, subieron procurando hacerlo sigilosamente y desembocaron en el gran pasillo del primer piso. Estaba desierto.

—Esta es la suite de Von Choltitz. ¿Vamos?

—¿Tú y yo?

—No. El papa.

—Límpiate la cara, que con los churretones no te van a reconocer.

Ambos levantaron una pierna al unísono y de sendas patadas reventaron la puerta. De un salto entraron manteniendo la posición de disparo con las metralletas dispuestas.

El general Von Choltitz estaba sentado a una mesa. Tenía un papel en la mano. Delante de él, sobre una bandeja, había una garrafa de cristal con lo que debía de ser coñac. El general levantó la cabeza. No parecía sorprendido.

—¡Ah! —dijo.

A su lado había tres oficiales más, que contemplaban la escena petrificados, y un hombre de civil, el director del hotel.

—*Monsieur* De Sá —dijo este.

—Señor director... Tiempo que no le veo... —Y dirigiéndose al general en francés, dijo—: General Von Choltitz, me temo que debo exigir su rendición incondicional y, por supuesto, la del ejército alemán en París.

—Lo imaginaba —contestó el alemán en perfecto francés.

—El ejército aliado controla completamente la situación en el gran París. Me ordenan mis mandos que le comunique su deseo de evitar víctimas y pérdidas inútiles tanto militares como de civiles inocentes. Y exigen que sean desmantelados los explosivos que minan puentes y monumentos.

Domingo miraba a Manuel con los ojos como platos.

—Sin embargo, veo que usted no es un oficial...

—No, señor.

—La Convención de Ginebra estipula que solo me puedo rendir a un oficial. Un oficial francés en este caso.

—Es cierto, mi general. Domingo, asómate a la escalera y llama a un oficial.

Al cabo de un momento, entraron simultáneamente dos tenientes y un minuto después, el teniente coronel La Horie, que se cuadró ante Von Choltitz.

—Mi general, tengo el honor de solicitar su rendición incondicional junto con la de sus tropas.

Von Choltitz suspiró.

—Estoy de acuerdo, coronel. Imagino que debemos ir a su cuartel general para que yo firme el documento oportuno.

—Sí, mi general. Primero iremos a la sede de la prefectura de la policía para firmar la rendición ante el general Leclerc. A continuación, iremos a la estación de Montparnasse, donde tiene instalado su cuartel general. Allí deberá usted firmar las órdenes de rendición dirigidas a sus fuerzas en París.

—Muy bien. Vamos. Entiendo que, de acuerdo con las normas de guerra, garantizan ustedes mi seguridad y la de mis colaboradores. —Se volvió hacia Manuel—. Agradezco su caballerosidad al permitirme seguir correctamente el protocolo militar. Supongo que recordará usted este momento durante el resto de su vida. —Sonrió con tristeza. Después estiró el brazo izquierdo y se quitó el reloj de la muñeca—. Tome. *Memento mori.*

—Muchas gracias, general. Lo guardaré toda mi vida.

Eran las dos y veintitrés de la tarde.

—Bien hecho, Nuncio —dijo entonces La Horie.

—¿Nuncio?

—Es nuestro diplomático particular.

—Ah —dijo Von Choltitz—, ahora lo entiendo todo.

Domingo, asomado al balcón de la suite, exclamó:

—Manolo, ven a ver.

Señaló a la Torre Eiffel, que podía verse en la distancia. En lo más alto, un destacamento de la 2ª DB había desplegado una inmensa bandera francesa.

El *Madrid* regresó triunfal a la plaza del Ayuntamiento. Lo seguían los restantes orugas de La Nueve y fueron recibidos con gritos de entusiasmo, banderas y hasta una banda improvisada que interpretaba *La Marsellesa* con más entusiasmo que pericia. La plaza y, cruzando el puente de Arcole, el gran espacio empedrado delante de Notre Dame, estaban llenos a rebosar de gentes felices y emocionadas.

Manuel se bajó del camión de un salto y se dirigió hacia donde estaba el teniente Granell esperándolos.

—Nuncio —dijo este.

—Teniente. Hay que joderse.

—Pues sí. Habéis hecho un buen trabajo. ¿Bajas?

—Cuatro: Moreno, Sánchez, el Gitano, Leyva. Menos Moreno, que lleva un tiro en la cadera, a los demás no les ha pasado nada. ¿Y los de Elías?

Granell puso una mueca de disgusto.

—Bien, pero Michel Elías se llevó un tiro en el pecho justo cuando llegábamos a la central... No está muy bien.

—¡Mierda!

—Sí, Nuncio, mierda. También José Cortés.

—Pero ¿cómo está?

—¿Elías? No sé... Mal. No muy bien, la verdad.

—Joder. ¿Y Cortés?

—¿Cortés? Bah, se las arregló para que lo recogiera una enfermera francesita y me parece que va jodido, pero encantado. En cambio, a Barrionuevo lo dejaron seco de un tiro en la cabeza...

—Vaya por Dios.

—¿No le vas a contar que has sido el del Meurice? —interrumpió Domingo.

—¿El qué? —preguntó Granell.

—Fue el que hizo rendirse al generalote nazi.

—Tonterías, Amado. No había nadie más. Choltitz estaba más rendido que Pétain. Y además, detrás, venían La Horie y un montón de tíos...

—Ya. Será por eso que el generalote te regaló el reloj...

—Chorradas.

Detrás de Granell apareció de pronto Marie corriendo como una loca. Esquivó al teniente y se lanzó a los brazos abiertos de Manuel, de un salto le rodeó la cintura con las piernas, le cubrió la cara de besos, le mordió la boca, le arañó el cuello.

—Ya me contarás lo del reloj, que ahora no estás para contar nada... —dijo Granell, riendo de buena gana—. ¿Me oyes? Bueno, mañana aquí a las ocho menos cuarto en estado de revista. Nos toca acompañar a De Gaulle y a Leclerc en el desfile de la victoria por los Campos Elíseos. ¿Tenéis dónde dormir? Porque si no, están montando un campamento en el bosque de Boulogne para los de la 2ª DB.

—No, no. Tenemos, tenemos.

—¿Tenéis casa aquí?

Manuel puso cara de circunstancias, arrugó el entrecejo y asintió.

—Y tenemos un par de cosas que concluir antes de irnos a la cama.

—La Guerra Marie —intervino Domingo.

—¿Qué es eso?

—Viejas rencillas.

—No hagáis el idiota.

—*Na*, qué va.

—Lo que yo te diga, Granell.

Marie, aún colgada del cuello de Manuel, apartó la cara y miró a los tres, uno detrás de otro, como si no comprendiera. Pero sí comprendía.

Unos pasos más atrás, apareció el capitán Dronne. Se acercaba sonriendo.

—Buen trabajo de La Nueve hoy. Ya me ha contado La Horie, Nuncio.

—Bah, capitán. Ha sido lo de siempre. Ha salido bien. ¿Permiso para ausentarnos? Tengo que conocer a mi hija, capitán.

—Permiso concedido. Quítense de mi vista. Ya saben lo de mañana, ¿no?

—Esa no es nuestra guerra —dijo Domingo, señalando hacia atrás con el pulgar cuando se hubieron alejado de la plaza. Dronne había ordenado que les dejaran un *jeep*. Conducía Manuel —«Aquí no conduce más que este cabrón»—, Marie iba sentada a su derecha mirándolo; de vez en cuando le acariciaba el cuello. Domingo viajaba repantingado detrás.

—No. Falta acabar con la de verdad.

—La de verdad —repitió Marie en voz baja. Y de pronto—: ¡Espera! ¡Para!

Manuel dio un frenazo.

—¿Qué pasa? —preguntó.

—Mirad.

Por en medio de la calzada de la calle Rivoli venía un grupo de civiles vestidos de modo estrafalario y armados con mosquetones y pistolas, rodeando a tres mujeres. Las tres andaban a trompicones. Habían sido burdamente rapadas y tenían la vestimenta rasgada; una falda a jirones, una media caída sobre el zapato y la otra llena de agujeros; a una le habían arrancado la blusa y solo llevaba el sujetador negro protegiéndole el pecho. Delante, un chico joven llevaba un cartel en el que había escrito con grandes letras mayúsculas COLABORACIÓN HORIZONTAL. A las tres mujeres se les adivinaba la humillación, la tristeza y la vergüenza. Algunos de los hombres que las conducían llevaban el cigarrillo en la comisura de los labios y sonreían con suficiencia; otros, conscientes de su papel de verdugos moralistas, iban serios y decididos, como si estuvieran cumpliendo con una misión patria sagrada.

Entre todos andaban por en medio de una aglomeración gritona e insultante que llamaba a las mujeres «¡Putas!», «¡Traidoras!», «¿Dónde están tus perfumes ahora, hija de perra?», «¿Dónde está tu novio nazi, eh?», «¿Cuánto comías después de follar?».

Una de las mujeres miraba fijamente al frente, con desafío, intentando mantener una apariencia de dignidad. Las otras dos lloraban y les caían las lágrimas por las mejillas dejando churretones de suciedad alrededor de la nariz y por la barbilla.

—¡No puede ser! —exclamó Marie, que aún sentía el amor de la noche invadiéndole las entrañas—. No puede ser.

—¿Qué no puede ser? —preguntó Domingo como saliendo de un sueño: había estado mirando hacia los balcones del hotel Meurice, recordando la brutalidad de la mañana.

—¡Eso, Domingo! —dijo, señalando con una mano a las mujeres.

Marie se puso en pie y de golpe se bajó del *jeep* para encararse con la muchedumbre.

—¿Pero qué estáis haciendo? —gritó con un vozarrón que Manuel nunca había sospechado que poseyera—. ¿Esta es vuestra victoria? ¿Maltratar a mujeres indefensas? ¿Para esto han peleado hoy nuestros soldados, todos estos que os han salvado el pellejo? ¿Para que os pudierais vengar de los que han perdido?

La gente se había detenido y la miraba con sorpresa inquieta. El muchacho que llevaba el cartelón lo bajó; le quedó colgando de una sola mano.

—Nos traicionaron —contestó uno que parecía el jefe del grupo.

—¿Os traicionaron porque perdidas, solas y hambrientas buscaron refugio para ellas y para sus hijos en una guerra sin cuartel? ¡Vamos! ¡Qué hombría!

—¡No! —contestó el otro—. Porque colaboraron con el enemigo, mientras los demás sufríamos. Bastante poco les vamos a hacer. Total. —Rio con sarcasmo—. Un corte de pelo...

—¡Qué bonito! ¿Por qué no rapáis al mariscal Pétain? Ese sí que colaboró...

Hubo un retroceso sorprendido ante estas palabras, un instante de duda en la gente.

Domingo se bajó del *jeep*. Con la metralleta en la mano y su aire agresivo, alto y fornido como era, daba miedo.

—Vamos, que no nos hemos jugado la vida esta mañana mi compañero y yo deteniendo al general en jefe alemán, que fuimos nosotros, eh, ahí mismo en el hotel Meurice, en esa ventana, para ver que abusáis de los perdedores. ¿O es que tenemos que empezar a fusilar a soldados alemanes ahora que los hemos apresado? ¿Eh? Para parecernos bien a ellos, ¿eh? Y vuelta a empezar, eh. ¿Esta es la libertad por la que me he jugado la vida? ¡Me cago en Dios!

Manuel, ante esta repentina explosión de sensatez y furia, sin dejar de mirar a Domingo sorprendido, también se puso en pie metralleta en mano, para encararse con el grupo de mujeres y hombres, tan vociferantes hasta un momento antes y tan callados ahora.

—¡Venga! —dijo entonces—. Las tres mujeres, aquí, con nosotros, al coche.

Se oyó el clic del arma de Domingo cuando le quitó el seguro, pronto a disparar.

Los que llevaban a las detenidas se apartaron y en la muchedumbre se abrió un espacio suficiente para que el *jeep* pudiera seguir. Las tres mujeres se acercaron al coche con pasos inseguros y Domingo les ayudó a subirse a su lado en la parte trasera.

—¡Joder con la guerra esta de los cojones! Manolo, mejor será que arranques antes de que nos despiecen...

El *jeep* se puso en marcha procurando no llevarse a nadie por delante.

—Marie, ¿no tienes algo para cubrir a estas tres cándidas?

Ella se volvió a mirarlo.

—Te cubriría de besos, Domingo.

—¿Nuncio yo? —dijo Manuel—. Nuncio tú, camarada. Eso sí que ha sido un discurso diplomático.

Enfilaron rápidamente hacia la Concorde y la avenida de Nueva York, siguiendo el río hacia la plaza de Alma.

—Esto que hemos hecho no va a servir de nada —dijo Manuel—. No van a dejar de castigar a estas pobres mujeres. Y debe de haberlas a miles...

—Bueno, que te lo digan estas tres. Al menos ellas se han librado, ¿no?

—Bah, ¿por cuánto tiempo?

—Nunca durante mi guardia, Manolo.

Las tres, apretujadas en el asiento trasero, solo decían *merci, merci*, gracias, gracias. Y lloraban temblando aún del susto. Incluso la del desafío había perdido la postura que la mantenía aparentemente impertérrita y estaba derrengada sobre una de sus compañeras de desgracia.

—Ya sé adónde nos llevas, amor. Vamos a tu casa en la plaza de Alma...

—Bueno, Marie, nos queda una guerra por terminar. Y lo vamos a hacer ahora mismo —contestó Manuel con ferocidad.

—¿Y con estas chicas qué hacemos?

Marie se volvió a mirarlas.

—¿Tenéis algún sitio adonde ir? —preguntó.

No contestaron enseguida. Se miraron y por fin, la más decidida dijo:

—No. En nuestra calle nos conocen y allí fue donde nos denunció un vecino.

—Ya... De modo que si os devolvemos allá, os va a pasar otra vez lo mismo.

La mujer bajó la cabeza.

—Les haría falta una peluca —intervino Domingo.

—No digas tonterías. Lo que les hace falta es un sitio donde esconderse hasta que les vuelva a crecer el pelo.

—A mí no me miréis —dijo Manuel.

—Venga, mi amor, ¿no tienes una habitación de servicio en la azotea?

—Sí, la de mi Angelines, pero nunca la usa. Vive en casa.

—Pues ahí tienes.

—Lo primero es lo primero, Marie. Tú y yo tenemos que subir a buscar a Von Neipperg...

—¿Y qué vas a hacer?

Manuel no contestó. Domingo seguía la conversación con la cabeza gacha.

—¿Lo vas a ejecutar, así, sin más?

—Él lo sabe.

—¿Y todo el discurso de que no hemos ganado la guerra para empezar a fusilar prisioneros?

—Esto es distinto, Marie. Este no es un prisionero, es un cerdo. Y tú lo sabes mejor que yo.

—Un momento —intervino Domingo—. Me toca a mí.

—No digas sandeces, hombre de Dios.

Sin dar tiempo a más, Domingo se bajó del *jeep* de un salto.

—¿Piso?

—No me jodas, Domingo.

—Me toca a mí. No os vais a manchar las manos con la sangre de un cerdo...

En ese momento se abrió el portal de la casa. Manuel y Domingo se giraron con violencia apuntando sus armas hacia él. Marie se había puesto de pie en el suelo del coche, apoyada contra el cristal del parabrisas.

Pero no era Von Neipperg el que salía a la calle. Era Angelines, el ama de llaves, cocinera, limpiadora de Manuel de Sá.

Había adelgazado pero seguía siendo la mujerona treintañera y recia de su pueblo de Torrelaguna, guapa y verdinegra. Trabajadora, de risa fácil y opiniones políticas inconfundibles, llevaba con Manuel casi quince años y él solo se confesaba un fracaso: Angelines seguía siendo tan analfabeta como el primer día, pese a lo lista e intuitiva que era y los esfuerzos de Manuel por enseñarle el abecedario. Él siempre le decía: «El día que te eches novio, Angelines, ¿cómo os vais a cartear?». «Bah, don Manuel, si él me quiere y no me quiere perder, ya se ocupará de estarme pegado al culo; ¿para qué me sirven a mí las letras?».

—Hola, Angelines —dijo Marie.

—¡*Mamucé!* ¡Qué gusto verte! Me dio miedo pensar que te habrían fusilado cuando te detuvieron. Se lo preguntaba al alemán, pero él solo sonreía, el muy hijo de su madre.

—¿Dónde está? —preguntó Manuel.

—Huy, don Manuel. Hola.

—¿Dónde está?

—¿El von ese?

—Sí.

—Se les ha ido por unas horas. Se acabó la guerra y ya sabía yo que vendría usted a por él. Pero se les ha escapado. Por los pelos..., pero se fue.

—¿Se ha ido? —preguntó Marie en un tono desolado.

—Sí.

Domingo seguía boquiabierto todo este intercambio.

—¿Esta es mi novia, Manolo? —dijo de pronto.

Angelines se dio la vuelta y lo miró de arriba abajo.

—Y este ¿quién es?

—Soy tu novio, compañera. Me lo ha dicho aquí tu jefe. Domingo González para servirte.

—Oye, a mis novios me los escojo yo solita, ¿te enteras?

—Venga, Angelines, dejémonos de historias. ¿Sabes adónde ha ido Von Neipperg?

—¡Y yo qué voy a saber! Vino su cochazo, como todos los días que estaba en París, se subió y se fueron. Ayer por la tarde, sobre las siete. Solo que esta vez llevaba sus maletas y sus bultos. Cajas de papeles y eso... Como un conejo te vas, pensé, con el rabo entre las piernas, tan valiente y tan importante, con tus medallas y tus chapas. Te tenía yo calado. No tenías tú huevos ni para tocarme el culo. Solo a las condesas rubias.

Marie había palidecido. Se le había escapado la venganza.

—Los conejos no tienen rabo —dijo Domingo.

—¡Qué sabrás tú!

—Mejor así.

—¿Mejor así qué, Manolo?

—Ya hemos matado bastante en esta guerra, camarada... Estoy harto. Llevo cuatro años peleando y tú, ocho y sé bien que esto no ha acabado todavía. Nos hemos recorrido medio mundo persiguiendo alemanes, pero, amigo, esta mañana, hoy, esta mañana, los hemos derrotado por fin, tú y yo. Hemos hecho nuestro trabajo. Tú y yo, ¿eh? Lo malo es que nuestros jefes no lo saben y no podemos irles a decir, oiga, que yo me quedo si no le importa. —Pasó la mano por la cintura de Marie y la atrajo hacia él—. Pero estoy agotado, Domingo. No puedo más... Y —sonrió con gesto cansado— tengo una nueva vida que cuidar. No puedo... No quiero ya mirar atrás. Estoy ahíto de venganzas. Me falta el ánimo: no quiero vengarme más. Solo quiero volver cuando me toque y vivir mi vida en paz, sin más aventuras. En fin, sin más aventuras que las que me imponga el general Leclerc.

Marie apoyó la cabeza en su hombro y de pronto, también le pareció que estaba todo hecho.

—¡Pero me cago en la mar, hombre! ¡Nos queda la mitad! ¡La mitad! Los alemanes, que se jodan. Ya lo están. Pero ¿y Franco?

—¿Qué pasa con Franco?

—Hacíamos todo esto para volver a España y acabar con él, Manolo. ¿No te acuerdas? Lo hablábamos. Primero Hitler, luego Mussolini y para postre, Franco. Todos vamos a entrar por el Pirineo y nosotros delante, los franceses, los americanos, los ingleses, todos, lo vamos a sacar a patadas...

—Supongo...

—¿Cómo supones? Eh, amigo, no olvides La Nueve con sus orugas, sus canciones, sus banderas republicanas y los compañeros que han quedado por el camino... Estas mismas orugas, con las mismas banderas y los mismos que aún estamos en pie vamos a entrar por la Vall d'Arán y no vamos a parar hasta Cádiz.

—Me ha dado un ataque de egoísmo, ¿sabes? No quiero que un tiro idiota me deje seco por un bosque de esos y me quede sin mi mujer, sin mi hija, sin nada, sin la vida que me queda y que descubrí ayer. Ayer, oye. Cuatro años de desesperanza y de repente descubro que tengo la vida a dos manos...

Marie había juntado las manos y miraba a ambos con angustia.

—Tienes *baraka* —murmuró.

—¿Y sabes lo que te digo, Domingo? De todos modos, esto no se ha acabado todavía. Nos queda tela marinera que cortar. De manera que igual estamos teniendo esta discusión antes de tiempo, ¿eh? Aparte de que lo que veníamos a hacer se nos haya ido entre los dedos...

—Me cago en su madre.

—Ya —dijo Manuel, y miró a Marie, que, después de un momento, se encogió de hombros y bajó la cabeza. Acababa de recordar que no todo estaba hecho.

—Sabes que no puedo perdonar, que no puedo olvidar —dijo.

—Ya.

—Nuestra guerra era por Philippa, por papá, hasta por mí, si me apuras.

—Ya. Ya lo sé, ya —repitió, asintiendo con fatalidad. Suspiró—. La venganza es un plato que se come frío, ¿no?

—¡Bueno! —exclamó entonces Domingo frotándose las manos—. Mañana será otro día.

—Sí. —Sonrió Manuel—. Mañana toca desfile.

—Pero mientras tanto, tenemos que ocuparnos de estas tres señoras. —Miró a los demás como si, por una vez, estuviera pidiendo permiso—. Hay que hacer algo, ¿no?

—Bueno —dijo Manuel—, se me ocurre lo que decíamos antes. —Se dirigió a ellas. Habían guardado silencio hasta entonces, pero ahora los miraban con temor, no sabiendo lo que iba a ser de ellas—. Creo que las podemos instalar a ustedes en la habitación de servicio en la buhardilla, ¿eh, Angelines?

—Usted dirá, don Manuel —contestó ella levantando los hombros—. El tiempo que se quiera. Basta con poner una cama más... ¿Cuánto van a estar?

—Hasta que les crezca el pelo —dijo Marie.

—Tiempo, entonces.

—Sí.

—Bueno.

—Tú estás viviendo en el piso, ¿no?

—Sí, don Manuel.

—Bien, ahí te quedarás y, si no te importa, las cuidarás. ¿Les podrás dar algo de ropa?

—Claro, pobres mujeres. Hace falta ser tonta, pero esto de los uniformes tira mucho, qué le vamos a hacer.

—¿Te tira el mío? —preguntó Domingo.

—Sí, hombre.

—Bueno —insistió él—, mientras tú y Marie os vais a ver a mi ahijada, me voy a quedar aquí para asegurarme de que todo va bien.

—Se te ve el plumero, camarada.

El piso de Olga Letellier en la avenida Marceau estaba en la segunda planta de un espléndido edificio de fin de siglo. Subieron las escaleras saltando los peldaños de dos en dos. Llegaron jadeando al descansillo. Marie alargó el brazo para llamar al timbre, pero Manuel dijo:

—Espera, espera un momento. Déjame que te mire.

Y estuvo así, reconociéndola, recordándola desnuda en la cama de Les Baux y en el mar en Les-Saintes-Maries-de-la-Mer, recuperando su vitalidad tan generosa, la fuerza de su carácter y la valentía de cada uno de sus gestos. El amor en sus ojos y en su sonrisa, la perfección de sus clavículas y la inteligencia en su mirada.

Entonces puso su mano en la muñeca de Marie y entre los dos tiraron de la cadenilla. Por una ventana de la escalera que se asomaba a un patio oyeron el tintineo de la campanilla sonando al fondo del apartamento.

Pasaron unos segundos de silencio. Y luego, unos pasos diminutos y acelerados que se detenían detrás de la puerta de entrada. Todo lo imaginó Manuel como si lo estuviera viendo: la niña poniéndose de puntillas para alcanzar la manilla, sus bufidos de esfuerzo y, por fin, muy despacio, la apertura de la pesada hoja de madera. Tiró de ella y la acabó abriendo de un empujón.

—¡Mami! —exclamó, riendo y alzando los brazos—. ¡Mami!

Se paró de golpe, sorprendida. Miró de uno a otro frunciendo el ceño y no dejó de escudriñar el rostro de Manuel cuando su madre la levantó en brazos. Sus ojos, se dijo Manuel, eran los de su madre, como la miel dorada en la que resaltaban minúsculas virutas de oro bailando en el iris. En la punta de la nariz y en las mejillas había una constelación de pecas. Como las de su madre.

—¡Manuela! Mi pequeña.

—Mami —repitió, sin apartar la vista de su padre.

Allí estaba, pensó Manuel.

El futuro.

FIN

Nota del autor

Confieso que durante este largo tiempo de trabajo, investigación y escritura, mi ánimo flaqueó más de una vez. Mis amigos me empujaron a seguir sin desfallecimiento. Evelyn Mesquida me animó desde el principio del proyecto, leyó el manuscrito con paciencia e hizo observaciones y puntualizaciones sin las que la novela habría quedado coja. Franco Mimmi y Teresa Salaberri leyeron la primera versión del texto; sus apreciaciones críticas me ayudaron a simplificarlo y poner orden en él cuando no era más que un amasijo de ideas confusas. Basilio Baltasar me dio una impagable lección de preceptiva literaria, consolidando la novela de un plumazo.

Silvia Bastos, mi agente, estuvo constantemente a mi lado, como es su norma; su entusiasmo, su amistad y su firme convencimiento de que el relato valía la pena me acompañaron en todo momento.

Miryam Galaz, mi editora de Espasa, siempre estuvo dispuesta a hacer apreciaciones sensibles y sensatas, comprendiendo, con la misma inteligencia que mi agente, la relación frágil que existe entre el escritor y su obra. Finalmente, nada habría sido posible sin el firme apoyo de Ana Rosa Semprún, directora de Espasa.

Y A. S., siempre ahí.

A todos, mi agradecimiento por su generosa ayuda.

Al final, sin embargo, a la hora de la verdad, el escritor está solo.